合格率99%！

鈴木俊士の

公務員教養試験

一般知識一問一答

シグマ・ライセンス・スクール浜松 校長

鈴木俊士 著

KADOKAWA　　本書には、「赤色チェックシート」がついています。

驚異の合格率 99.7% の
鈴木校長が合格を全力サポート！

本書だけで「一般知識」が完ペキ！

試験に出るポイントを教えます！

公務員予備校・校長
鈴木 俊士（すずき・しゅんじ）

公務員受験専門の予備校「シグマ・ライセンス・スクール浜松」（以下、シグマ）校長。定員 20 名の少人数制を取り、毎年 9 割以上の合格者を生み出している。近隣の高校で面接や作文・小論文の出張講義を行うなど、公務員試験受験者を合格に導くため、精力的に講義を行っている。

STEP 1 ｜ 鈴木校長のここがすごい！

① 1 次試験の合格率は驚異の 99.7%！

シグマの公務員教養試験（1 次試験）の実質合格率は 99.7% で、全受講者が本書の元であるシグマオリジナル『暗記サクセスノート』を使用。この 1 冊とともに 1 次試験を突破！

② 25 年にわたる丁寧でアツい指導が好評！

25 年の指導歴で、のべ 2,300 名が合格！　本書はその集大成ともいえるものです。教養試験だけでなく、作文・小論文や面接対策でも、丁寧でアツい指導が受講者に好評！

>>> 受講者の声

- 「一般知識」は本書をしっかり覚える。もしも載っていないところが出たら「仕方ない」と割り切って「考えれば正解できる問題に時間をかける」とのぞんで合格しました。
- わからない問題に出会った時、頭の中で本書に自分が書き込んだページが思い浮かび、難しい問題が解けるようになりました。
- 一人ひとりに親身になって答えてくれて、とても安心できました。

STEP 2 | 試験のポイントをつかむ！

公務員教養試験（1次試験）は、全体で6割得点できれば、まず合格できます。
- ・ただし、景気動向など取り巻く環境によって当然合格点には変動アリ
- ・また、1次試験でできるだけ高い点数を取っておき、
  できれば2次試験の「面接」には、トップクラスで臨みたい

➡ となると、1次試験で7～8割は得点したい！

ところが1次試験の中の「一般知識」分野、いわゆる「暗記系科目」は、科目は多いものの、政経以外の科目（日本史・地理・地学など）は各1～2問くらいしか出題されず、おまけに勉強の範囲はとても広い。

人によっては世界史や生物など、高校の選択授業で取っていない科目もあることから、最初から「捨ててしまおう」と考える人も多いようです……。

➡ でもそれではもったいなさすぎ！　そこで本書の出番！

STEP 3 | 合格に導く秘蔵問題集！

特長1
「一般知識」分野の膨大な範囲の中から
「出るところ」だけを凝縮。
「どこから手をつけていいか、わからない！」
そんな悩みに応えます！

特長2
各科目の中で一問一問を厳選し、
一問一答形式で掲載。
これ1冊を解くだけ・読むだけで
合格をゲット！

特長3
問題には「優先度（★）」を掲載。
効率的に進められて直前対策もバッチリ！

合格者の
みんなが使った
本書で合格！

フル活用して
「公務員教養試験」を楽々突破！

✔ 膨大な試験範囲から出題頻度の高いものを掲載

　本書は、「公務員教養試験」（以下、教養試験）の中で、暗記が必須な「一般知識」分野に特化した問題集です。公務員は、国家・地方・上級・一般・警察官・消防士など多岐にわたりますが、一般知識で問われる内容はどの試験でも大差ありません。そのため、本書は**どの教養試験にも対応**しています。

　本書では35年分の過去問分析により、**科目を「政治・経済」「世界史」「日本史」「地理」「生物・地学」「国語（四字熟語・ことわざ・慣用句）」に絞り**、かつ**各科目で出題頻度の高い分野・問題を掲載**。そのため、**効率よく最短ルートで試験対策を進めることが可能**です。

　科目は出題が多い順に掲載していますので、最初から解き進めることをおすすめします。もちろん、苦手な科目から進めても構いません。

✔ 実際の合格者の「まとめノート」を再現

　問題は一問一答形式で、覚えるべき名称・用語（＝答え）などに下線を引き、赤字にしています。**付属の赤シートを重ねると赤字が消えますので、答えを隠しながら問題を解いていってください。**赤シートを外して**問題文をそのまま読むことでも勉強になります**ので、時間を見つけて読み進めていきましょう。

　各科目を、平均問題数70程度のセクションに分けています。2日で1セクションを解き、**全18セクションを36日程度で解き終える**ことが目安です（余裕があれば3回解くことをおすすめします）。目標とする教養試験に向けてスケジュールを立て、計画的に進めていきましょう。

　問題には、**優先度が高い順に「★」をつけています**。試験の直前期に見直す場合、「優先度の高い★★の問題だけを解く」などで活用してください。

　問題の後には、**「合格者のまとめノート」を掲載**。本書の元である『暗記サクセスノート』を使って勉強し、教養試験に見事合格した方々が補足的にまとめた実際のノートを再現したものです。「問題部分の内容」「追加で覚えておきたい事項」をわかりやすくまとめたもので、こちらも赤シートを使って覚えていきましょう。

一問一答問題集

Point 1 セクション
膨大な範囲からよく出る分野に凝縮！

Point 2 スケジュール
2日間で解き終えるのが目安。計画的に進めよう！

Point 3 チェックボックス
間違えた問題に☑を入れて後で見直そう！

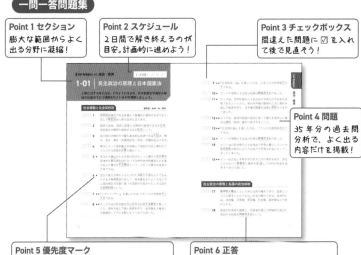

Point 4 問題
35年分の過去問分析で、よく出る内容だけを掲載！

Point 5 優先度マーク
優先度の高い順に「★★>★>無印」。直前期に★★問題だけを解くなどして活用！

Point 6 正答
付属の赤シートで隠して解き進めよう！

Point 7 ひと口コラム
各セクションの終わりに、そのセクションに関するアドバイスなどを掲載。要チェック！

Point 8 赤シート付
本書に付属の赤シートを重ねて「正解」や「重要語句」を隠しながら暗記していこう！

○ ひと口コラム

自然法思想を前提として社会契約説を唱えた思想家に、ホッブズ、ロック、ルソーがいます。自然権や国家が成立する以前の自然状態を彼らがどのようにとらえていたか、また、彼らが理想とした国家のあり方はどのようなものであったかについて整理しておきましょう。

合格者のまとめノート

Point 9 合格者のまとめ
実際に教養試験に合格した方々のまとめノートを再現。覚えておきたい事項を厳選して掲載！

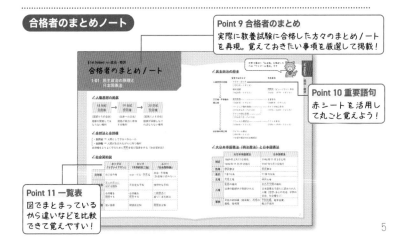

Point 10 重要語句
赤シートを活用して丸ごと覚えよう！

Point 11 一覧表
☑でまとまっているから違いなどを比較できて覚えやすい！

5

>>> Contents

1st Subject >>> 政治・経済

2nd Subject >>> 世界史

3rd Subject >>> 日本史

4th Subject >>> 地理

5th Subject >>> 生物・地学

6th Subject >>> 国語

本文デザイン・DTP／次葉
イラスト／平のゆきこ、大塚たかみつ
編集協力／エデュ・プランニング

1st Subject

>>> 政治・経済

公務員教養試験の一般知識で、出題割合が高いのが「政治・経済」です。「民主政治の原理」「日本国憲法」「日本の政治」「国際社会」「経済の仕組み」「戦後の日本経済」などに絞って問題を掲載していますので、しっかりと覚えていきましょう。

1-01 │ 民主政治の原理と日本国憲法

人権に対する考え方が、どのように生まれ、日本国憲法や現在の政治の仕組みでどう保障されているかを理解しましょう。

社会規範と社会契約説

優先度：★★＞★＞無印

□□□ **1** <u>自然法</u>は時代や社会を超えて普遍的に通用する法であり、対して<u>実定法</u>は人間の定めた法である。

□□□ **2** 国家と国民、国家と国家との関係を規律する法を<u>公法</u>、国民相互の関係を規律する法を<u>私法</u>という。

□□□ **3** 我が国の法律の中で最も基本的な法律である<u>六法</u>は、憲法・民法・商法・民事訴訟法・刑法・刑事訴訟法である。

□□□ **4** 憲法によって国家権力を制限して国民の自由と権利を守ろうとする思想を<u>立憲</u>主義という。

□□□ **5 ★** 条文から構成される法典の形式をとった憲法を<u>成文憲法</u>、具体的な憲法典を持たないで法律や政治的慣習などを集大成した憲法を<u>不文憲法</u>という。イギリス憲法は後者の代表である。

□□□ **6 ★** 国王の権力は神から与えられた<u>神聖不可侵</u>なものであるとする王権神授説に対して、自然権をよりよく守るために国民相互の同意に基づき国家が形成されたとする説を<u>社会契約説</u>という。

□□□ **7 ★★** 『リヴァイアサン』を著したのは、イギリスの思想家<u>ホッブズ</u>である。

□□□ **8 ★★** ホッブズは自然状態を<u>万人の万人</u>に対する<u>闘争</u>状態ととらえ、契約を結んで強い国家を作り、自然権を主権者に全面譲渡してその支配に従うべきだと説いた。

□□□ **9** ★★『市民政府二論』を著したのは、イギリスの思想家<u>ロック</u>である。

□□□ **10** ★ ロックが理想とする政治形態は<u>間接民主</u>制であった。

□□□ **11** ★ ロックは、自然状態の人々を自由で平等だが不安定な状態であるととらえた。彼は自然権の確保のために契約を結んで国家を作り、自然権の擁護を国家に<u>信託</u>（しんたく）すべきだと説いた。

□□□ **12** ★★ ロックは、政府が国民の信託に背いて権力を濫用した場合は<u>抵抗</u>（革命）権を行使できるとした。

□□□ **13** ★★『社会契約論』を著したのは、フランスの思想家<u>ルソー</u>である。

□□□ **14** ★ ルソーが理想とする政治形態は<u>直接民主</u>制であった。

□□□ **15** ルソーは自然状態の人々は自由で平等に暮らしていたが、<u>私有財産</u>の発生により不自由で不平等な社会になってしまったと考えた。

□□□ **16** ★★ ルソーは自由と平等を取り戻すために契約を結び、誤ることのない<u>一般意志</u>（いっぱんいし）に権利を委譲して共同の利益を追求すべきだと説いた。

民主政治の原理と各国の政治体制

□□□ **17** <u>基本的人権</u>は人として持つ当然の権利であり、国家といえども侵すことのできない生来の権利である。具体的には、自由権、平等権、参政（さんせい）権、社会権、請求権などがあげられる。

□□□ **18** 国民が代表者を選挙し、代表者を通じて間接的に政治に参加する制度を<u>間接民主</u>制という。

□□□ 19 　<u>間接民主</u>制は代表民主制や<u>代議</u>制とも呼ばれ、国民が直接政治決定を行う<u>直接民主</u>制に対する概念である。

□□□ 20 ★　三権分立制は権力を分けて別々の機関に運用させ、<u>抑制と均衡</u>（チェック＆バランス）を図ることで権力の濫用を防止しようというものである。

□□□ 21 ★　モンテスキューは三権分立制を提唱した『<u>法の精神</u>』を著した。

□□□ 22 　イギリスは<u>立憲君主</u>制で国王が国家元首だが、「君臨すれども統治せず」の原則によって行政権は実質的に内閣が行使している。

□□□ 23 ★　イギリスの内閣は議会に対して責任を負い、議会の信任に基づいて成立する<u>議院内閣</u>制である。

□□□ 24 ★　アメリカの政治形態は、立法・行政・司法が厳格に分離する<u>大統領</u>制である。

□□□ 25 ★★　アメリカの大統領の任期は4年で、3選は禁止である。大統領は国民が<u>大統領選挙人</u>を選出し、この選挙人が大統領を選挙する間接選挙で選ばれる。

□□□ 26 　アメリカの大統領と各省長官は、<u>連邦議会議員</u>を兼任できない。

□□□ 27 ★★　アメリカの大統領は議会に対する<u>解散</u>権がなく、議会も大統領に対する<u>不信任決議</u>権を持たない。

□□□ 28 ★★　アメリカの大統領は議会に対する法案提出権を持たないが、立法や予算の審議を勧告できる<u>教書</u>送付権や、議会の可決した法案への署名に対する拒否権を持っている。

□□□ 29 　アメリカの大統領によって拒否された法案も、上下各院で出席議員の3分の2以上の多数で再可決されれば成立する。「大統領の拒否権をくつがえす」という意味で、これを<u>オーバーライド</u>という。

大日本帝国憲法

☐☐☐ **30** 1889 年（明治 22 年）、日本は君主権の強い<u>プロシア（プロイセン）</u>の憲法を手本にして大日本帝国憲法（明治憲法）を制定した。

☐☐☐ **31** 大日本帝国憲法は天皇が制定した<u>欽定</u>憲法である。

☐☐☐ **32** 大日本帝国憲法は<u>天皇</u>主権を定め、天皇は神の子孫であり<u>神聖不可侵</u>であるとされた。

☐☐☐ **33** 大日本帝国憲法は、形式的には三権分立制をとっていたが、実際は天皇が立法・行政・司法すべてを掌握する<u>外見的</u>立憲主義であった。

☐☐☐ **34 ★** 大日本帝国憲法では、陸海軍の最高指揮権である<u>統帥</u>権、<u>緊急勅令</u>、条約の締結、宣戦布告などの<u>天皇</u>の大権が認められていた。

☐☐☐ **35** 衆議院と貴族院の二院制であった<u>帝国</u>議会は、天皇の立法権を協賛する機関にすぎなかった。

☐☐☐ **36 ★** 天皇に任命された議員からなる貴族院が、民選である衆議院と<u>対等</u>の権限だったため、民意は貴族院によって封じ込められた。

☐☐☐ **37 ★** 大日本帝国憲法が保障した権利は、天皇が恩恵として臣下の民に与えた<u>臣民</u>の権利で、その多くは法律の留保を伴い、法律の範囲内で認められたにすぎなかった。

「大日本帝国憲法」と「日本国憲法」の違いは要チェック！

日本国憲法

□□□ **38 ★★** GHQ（連合国軍最高司令官総司令部）は、ポツダム宣言に沿った大日本帝国憲法の改正を要求し、日本は憲法問題調査委員会を設置して<u>松本案</u>を作成した。

□□□ **39 ★★** 日本の憲法問題調査委員会が作成した<u>松本案</u>では、天皇主権を変更しなかったために GHQ がこれを拒否し、GHQ 最高司令官のマッカーサーは<u>マッカーサー草案</u>を示した。

□□□ **40 ★★** 日本政府は<u>マッカーサー草案</u>を叩き台にして憲法改正草案要綱を作成した。日本国憲法は内容的には新憲法であるが、手続き的には旧憲法の<u>改正</u>によって生まれたものである。

□□□ **41 ★** 日本国憲法は 1946 年 11 月 3 日に公布され、1947 年 5 月 3 日に施行された。前文および 11 章 103 条からなり、基本的人権の尊重・国民主権・<u>平和</u>主義を三大原理としている。

□□□ **42** 日本国憲法は基本的人権が「人類の多年にわたる自由獲得の努力の成果」であり、「侵すことのできない<u>永久の権利</u>」（97 条）であるとして国家権力からの不可侵性を強調している。

□□□ **43 ★★** 日本国憲法は、個人の尊重（13 条）を最大の価値としていて「すべて国民は、個人として尊重される。生命・自由及び幸福追求に対する国民の権利については、公共の福祉に反しない限り、立法その他の国政の上で、最大の尊重を必要とする」と定めている。

□□□ **44** 日本国憲法は前文で国民主権について「ここに主権が国民に存する」と宣言し「国政は国民の厳粛な信託によるもの」としている。これにより天皇制は<u>象徴天皇</u>制となった。

□□□ **45** 日本国憲法は平和主義を<u>前文</u>と9条で明記し、<u>前文</u>では「平和を愛する諸国民の公正と信義に信頼して、われらの安全と生存を保持しようと決意した」としている。

□□□ **46 ★** 日本国憲法の9条では「日本国民は、正義と秩序を基調とする国際平和を誠実に希求し」と述べ、1項で<u>戦争放棄</u>を、2項で戦力の不保持と交戦権の否認を宣言している。

□□□ **47** 日本国憲法は大日本帝国憲法のような欽定憲法ではなく、<u>民定憲法</u>である。

□□□ **48 ★★** 日本国憲法は最高法規性の確保のため「天皇又は摂政及び国務大臣、国会議員、裁判官その他の<u>公務員</u>は、この憲法を尊重し擁護する義務を負ふ」（99条）としている。

□□□ **49 ★** 日本国憲法は通常の法律よりも厳格な改正手続きを必要とする<u>硬性</u>憲法である。これに対し通常の法律と同じ手続きで改正される憲法は<u>軟性</u>憲法という。

□□□ **50 ★★** 日本国憲法の改正は「各議院の総議員の<u>3分の2以上</u>の賛成で、国会が、これを発議し、国民に提案してその承認を経なければならない」（96条）とされている。

□□□ **51 ★★** 国会によって発議された憲法改正案は、国民の承認を得なければならない。その承認は国民投票により、有効投票総数の<u>過半数</u>の賛成が必要とされている。

□□□ **52** 日本国憲法は「すべて国民は、法の下に平等であつて<u>人種</u>、信条、性別、社会的身分又は門地により、政治的、経済的又は社会的関係において、差別されない」（14条）としている。

日本国憲法の中心は「個人の尊重（13条）」です

基本的人権と新しい人権・平和主義

□□□ **53** ★★ 基本的人権には、自由権・<u>平等権</u>・参政権・社会権・請求権などがある。

□□□ **54** ★ 自由権には、<u>精神</u>の自由・身体（人身）の自由・経済活動の自由の 3 つがある。

□□□ **55** ★ <u>精神</u>の自由には、思想・良心の自由（19 条）、<u>信教</u>の自由（20 条）、表現の自由（21 条）、学問の自由（23 条）がある。

□□□ **56** 日本国憲法では「国及びその機関は、宗教教育その他いかなる宗教的活動もしてはならない」（20 条）としている。この政治と宗教の結びつきを禁止する原則を<u>政教分離</u>の原則という。

□□□ **57** 日本国憲法の第 21 条では、いっさいの表現の自由を保障するとしている。条文上で具体的には、集会・結社・<u>言論</u>・出版などの自由を規定している。

□□□ **58** 公権力による不当な逮捕を防ぎ、個人の尊厳と行動の自由を守るのは<u>身体</u>（人身）の自由である。

□□□ **59** ★ 身体（人身）の自由には、<u>住居</u>の不可侵、法的手続の保障、奴隷的拘束・苦役からの自由、拷問・残虐な刑罰の禁止などがある。

□□□ **60** ★★ 経済活動の自由には、居住・移転・<u>職業選択</u>・外国移住・国籍離脱の自由（22 条）、財産権の不可侵（29 条）がある。

□□□ **61** 資本主義の発展につれて生じた失業や貧困から、社会的弱者が人たるに値する生活の保障を国に対して請求できる権利を<u>社会権</u>という。

□□□ **62** ★★ <u>社会権</u>はドイツの<u>ワイマール</u>憲法で 1919 年に最初に規定されたため、20 世紀的基本権とも呼ばれる。

□□□ **63** 　社会権には、生存権、教育を受ける権利、労働基本権がある。

□□□ **64 ★★** 日本国憲法では「すべて国民は、健康で文化的な最低限度の生活を営む権利を有する」（25条）としている。すなわち生存権を保障している。

□□□ **65 ★** 日本国憲法の第25条は国の努力目標を規定したものであり、直接個々の国民に具体的な権利を保障したものではないとする見解をプログラム規定という。

□□□ **66** 　日本国憲法は人権保障を確実なものにするために、国民が国政に参加できる参政権と、国に一定の行為を請求できる請求権を保障している。

□□□ **67 ★** 参政権には、選挙権・被選挙権、公務員の選定・罷免権、最高裁判所の裁判官の国民審査権、憲法改正の国民投票などがある。

□□□ **68** 　請求権には、請願権、損害賠償請求権、裁判を受ける権利、刑事補償請求権がある。

□□□ **69 ★** 日本国憲法に規定されている国民の三大義務は、教育を受けさせる義務、勤労の義務、納税の義務である。

□□□ **70 ★★** 憲法に明文の規定はないが、時代の変化に伴って憲法上の人権として主張されるようになった権利を新しい人権といい、環境権、知る権利、プライバシーの権利、アクセス権などがある。

□□□ **71 ★★** 知的な創作物や営業上の信用に対する権利、具体的には著作権、特許権、意匠権、商標権などを知的財産権という。

□□□ **72 ★** 1970年に発足し、1974年に国際連合の専門機関となった国際機関を世界知的所有権機関（WIPO）という。

□□□ **73 ★★** 軍人ではない非軍人が、議会や政府を通じて軍隊を指揮・統制することを文民統制（シビリアンコントロール）という。

□□□ **74** 　内閣総理大臣は自衛隊の最高指揮命令権を、防衛大臣は
　　　　　　自衛隊の統括権を持っている。

□□□ **75 ★★** 日本国憲法では「内閣総理大臣その他の国務大臣は、文
　　　　　　民でなければならない」（66条）と規定している。

□□□ **76 ★** 「核兵器を持たず、作らず、持ち込ませず」という日本
　　　　　　政府の核兵器に対する方針を、非核三原則という。

□□□ **77** 　自衛隊は自衛のための必要最小限度の実力にすぎないと
　　　　　　いう立場から、自衛隊は合憲であるというのが政府の見
　　　　　　解である。

✅ ひと口コラム

自然法思想を前提として社会契約説を唱えた思想家に、ホッブ
ズ、ロック、ルソーがいます。自然権や国家が成立する以前の
自然状態を彼らがどのようにとらえていたか、また、彼らの理
想とした国家のあり方はどのようなものであったかについて
整理しておきましょう。

▌MEMO

合格者のまとめノート

1-01 民主政治の原理と日本国憲法

✓ 人権思想の発展

| 18世紀
自由権 | → | 19世紀
参政権 | → | 20世紀
社会権 |

〈国家からの自由〉 国家が侵害してはならない権利

〈国家への自由〉 国民が政治に参加する権利

〈国家による自由〉 国家が保障しなければならない権利

✓ 自然法と自然権

- ・自然法 → 人間として守るべきルール
- ・自然権 → 人間が生まれながらに持つ権利

自然権をよりよく守るために契約を結び国家を作る（社会契約説）

✓ 社会契約説

	ホッブズ 『リヴァイアサン』	ロック 『市民政府二論』	ルソー 『社会契約論』
自然権	自己保存権	自由・平等・財産権	自由・平等権 （財産権は認めない）
自然状態	万人の万人に 対する闘争	不安定な平和	理想的な平和
契約	自然権を 譲渡する	自然権を 信託する	一般意志に 基づく自己統治
政治形態	強い国家	間接民主制	直接民主制

世界で最初に「社会権」を規定したのは「ワイマール憲法」です

✓ 民主政治の歴史

	宣言や法令など	市民革命
人権思想の初期	・マグナ・カルタ （1215年・イギリス）	
	・権利請願 （1628年・イギリス）	清教徒（ピューリタン）革命 （1642～49年・イギリス）
自由権・平等権の 確立期	・権利章典‥‥‥‥‥‥‥‥ （1689年・イギリス）	名誉革命 （1688～89年・イギリス）
	・バージニア権利章典‥‥‥‥ （1776年6月・アメリカ）	アメリカ独立革命 （1775～83年・アメリカ）
	・アメリカ独立宣言‥‥‥‥‥ （1776年7月・アメリカ）	
	・フランス人権宣言‥‥‥‥‥ （1789年・フランス）	フランス革命 （1789～99年・フランス）
社会権の確立期	・ワイマール憲法 （1919年・ドイツ） →世界で最初の社会権規定	

✓ 大日本帝国憲法（明治憲法）と日本国憲法

	大日本帝国憲法	日本国憲法
制定	1889年2月11日発布 1890年11月29日施行	1946年11月3日公布 1947年5月3日施行
性格	欽定憲法	民定憲法
条文	7章76条	11章103条
主権	天皇主権	国民主権
人権	臣民の権利 法律の範囲内で制限される	永久不可侵の権利 日本国憲法で新たに認められた人権（思想・良心の自由、学問の自由、社会権など）
軍隊	天皇の統帥権（陸海軍）、兵役の義務、陸海軍	平和主義、戦争放棄、戦力不保持

	大日本帝国憲法	日本国憲法
天皇	国の元首、統治権の<u>総攬</u>者、神聖不可侵	日本国および日本国民統合の<u>象徴</u>
国会	天皇の協賛機関、<u>貴族院</u>と衆議院の二院制	国権の<u>最高</u>機関、唯一の立法機関、衆議院と参議院の二院制
内閣	天皇の<u>輔弼</u>機関	議院内閣制、内閣は<u>国会</u>に対して連帯責任
裁判所	<u>天皇</u>の名において裁判を行う特別裁判所あり	司法権、<u>違憲立法審査</u>権、特別裁判所はない
国民の義務	<u>兵役</u>、納税	勤労、納税、<u>教育を受けさせる</u>義務
憲法改正	天皇の発議 → 帝国議会の決議	国会発議 → <u>国民投票</u>

✓ 日本国憲法にみる基本的人権

原則	基本的人権の永久不可侵性（11条）	
	基本的人権を保持利用する責任（12条）	
	個人の尊重、幸福を追求する権利の尊重（<u>13</u>条）	
平等権	法の下の平等（14条）	
	<u>男女</u>の平等（24条）	
	選挙権の平等（44条）	
自由権	精神の自由	<u>思想・良心</u>の自由（19条）
		信教の自由（20条）
		学問の自由（23条）
		集会・結社・<u>表現</u>の自由（21条）
		通信の秘密（21条）

自由権	身体（人身）の自由	奴隷的拘束・苦役からの自由（18条）
		法定手続きの保障（31条）
		不法な逮捕に対する保障（33条）
		不法な抑留・拘禁に対する保障（34条）
		拷問・残虐刑の禁止（36条）
		自白強要の禁止（38条）
	経済活動の自由	居住・移転及び職業選択の自由（22条）
		財産権の不可侵（29条）
社会権	生存権（25条）	
	教育を受ける権利（26条）	
	勤労の権利（27条）	
	勤労者の労働三権（28条） ＝①団結権、②団体交渉権、③団体行動権	
参政権	公務員の選定・罷免権（15条）	
	普通選挙権（15条）	
	被選挙権（43、44条）	
	最高裁判所の裁判官の国民審査権（79条）	
	特別法の住民投票権（95条）	
	憲法改正の国民投票権（96条）	
請求権	請願権（16条）	
	公務員の不法行為による損害賠償請求権（17条）	
	裁判を受ける権利（32、37条）	
	刑事補償請求権（40条）	

> どの権利にどの条文が入るかを確認！
> 「社会権」はよく問われるのでしっかり
> 覚えよう！

1-02 | 日本の政治機構と仕組み

日本の政治機構の中心である、国会・内閣・裁判所それぞれの機能と仕組みを整理して把握しましょう。

国会

優先度：★★＞★＞無印

□□□ **1** 日本国憲法は三権分立に基づいて、<u>立法</u>権は国会、<u>行政</u>権は内閣、<u>司法</u>権は裁判所に与えている。

□□□ **2** 日本国憲法は「国会は国権の<u>最高</u>機関であり、国の唯一の<u>立法</u>機関である」（41条）としている。

□□□ **3 ★** 国会は衆議院と参議院の二院制をとっている。衆議院の任期は<u>4</u>年で解散があり、参議院の任期は<u>6</u>年で3年ごとに半数改選され、解散はない。

□□□ **4 ★** 日本国憲法により、国会議員には<u>不逮捕</u>、院内発言に関する免責、歳費給付の議員特権が与えられている。

□□□ **5** 国会の召集は、天皇の<u>国事行為</u>として内閣の助言と承認の下に行われる。

□□□ **6 ★★** 通常国会（常会）は毎年1月に召集され、会期は<u>150</u>日、来年度の予算案の審議などを行う。

□□□ **7 ★★** 臨時国会（臨時会）は、内閣が必要とした時、あるいはいずれか一方の院の総議員の<u>4分の1</u>以上の要求があった時に召集される。

□□□ **8 ★★** 特別国会（特別会）は、衆議院の解散による総選挙後<u>30</u>日以内に召集され、新しい<u>内閣総理大臣</u>を指名する。

□□□ **9 ★★** 衆議院の解散中に緊急の必要がある際、内閣は参議院の<u>緊急集会</u>を召集することができる。

□□□ **10** 国会の定足数は、衆・参両院ともに総議員の<u>3分の1</u>以上である。

☐☐☐ **11 ★** 国会の権限には、法律案の議決、予算の議決、条約の承認、内閣総理大臣の指名、憲法改正の発議、弾劾裁判所を設ける権限などがある。

☐☐☐ **12** 弾劾裁判所は衆参両議院の議員の中から選出された各7名で構成され、罷免の訴追を受けた裁判官を裁判する。

☐☐☐ **13 ★★** 法律案の議決、条約の承認、予算の議決、内閣総理大臣の指名などの議決が衆参両院で異なった時には、衆議院の優越が認められている。

☐☐☐ **14 ★★** 予算は、衆議院が先議することになっている。また、内閣不信任決議権は衆議院のみの権限であり参議院には与えられていない。

☐☐☐ **15 ★** 法律案は、衆議院が可決した法律案を参議院が否決した場合、または衆議院が可決した法律案を60日以内に議決しない場合には、衆議院が出席議員に対して3分の2以上で再可決すれば、その法律案は成立する。

☐☐☐ **16 ★** 条約の承認と予算の議決において、衆議院が可決した議案を参議院が否決した場合は、両院協議会を開いても意見が一致しない時、ないし衆議院が可決した後、30日以内に参議院が議決しない時は、衆議院の議決を国会の議決とする。

☐☐☐ **17 ★** 内閣総理大臣の指名は、衆議院と参議院で異なった指名がなされ、両院協議会を開いても意見が一致しない時、ないし衆議院の指名を受け取った後、10日以内に参議院が指名しない時は衆議院の指名を国会の指名とする。

☐☐☐ **18** 両院協議会は、衆参両議院の議決が異なった場合、衆参両議院間の意見を調整するために開かれる機関で、各議院で選挙された10名ずつで構成される。

☐☐☐ **19** 条約の承認は事前が原則だが、場合により事後でもよい。

内閣

□□□ **20 ★★** 内閣は首長である内閣総理大臣と、その他の国務大臣で組織される。国務大臣は内閣総理大臣によって任命され、その過半数は国会議員の中から選ばなければならない。

□□□ **21 ★** 内閣の意思決定は閣議によって行われ、その議決は全会一致制をとっている。

□□□ **22** 議院内閣制において、内閣は国会に対して連帯して責任を負わなければならない。

□□□ **23 ★★** 内閣は、法律の執行、条約の締結、予算案を作成して衆議院に提出するほかにも、確定した判決の刑を減免する恩赦の決定などを行う。

□□□ **24 ★★** 内閣が総辞職するのは、内閣が衆議院によって不信任されて 10 日以内に衆議院を解散しない時・衆議院の総選挙後、新たな国会が召集された時・内閣総理大臣が欠けた時、の 3 つの場合である。

□□□ **25** 内閣総理大臣は国会議員の中から国会の議決で指名され、天皇が任命する。

□□□ **26 ★★** 内閣総理大臣の権限には、内閣を代表して議案を国会に提出する、一般国務や外交について国会に報告する、行政各部を指揮監督する、などがある。

□□□ **27 ★** 行政各部を指揮監督するのは内閣総理大臣の権限だが、国務の総理は内閣の権限である。

「内閣」と「内閣総理大臣」の権限を混同しないように要注意！

裁判所

☐☐☐ **28** 日本国憲法では「すべて<u>司法権</u>は、最高裁判所及び法律の定めるところにより設置する下級裁判所に属する」（76条）と定めている。

☐☐☐ **29** 最高裁判所の下に下級裁判所として、<u>高等裁判所</u>、地方裁判所、家庭裁判所、簡易裁判所がある。

☐☐☐ **30★** 大日本帝国憲法下での、行政裁判所、皇室裁判所、<u>軍法会議</u>などの特別裁判所は、日本国憲法では廃止された。

☐☐☐ **31** 私人間のトラブル解決のための裁判は民事裁判、犯罪者に刑罰を科すための裁判は刑事裁判、国や地方自治体が関わる争いを解決するための裁判は<u>行政</u>裁判である。

☐☐☐ **32★★** <u>三審制</u>は、判決に不服がある場合、国民が同一裁判手続き内で計3回まで審判を受けられる制度のことである。

☐☐☐ **33** 第一審の判決に不服申し立てをすることを<u>控訴</u>、第二審の判決に不服申し立てをすることを<u>上告</u>という。

☐☐☐ **34★★** 確定した判決における重大な欠陥を主張し、不服の申し立てをして裁判のやり直しをすることを<u>再審</u>という。

☐☐☐ **35★★** すべての裁判所は、法律、命令、規則および処分が、憲法に適合するかどうかを決定する<u>違憲立法審査</u>権を持っている。

☐☐☐ **36** 最高裁判所は、法令などの合憲性の最終の判断を示す<u>終審</u>裁判所であるため「憲法の番人」とも呼ばれる。

☐☐☐ **37★** 公正な裁判を維持するために、裁判は原則として公開されている。しかし裁判官が全員一致で<u>公序良俗</u>に反すると決めた場合は、一部の例外を除き<u>対審</u>を非公開にできる。

☐☐☐ **38** 裁判員制度は、18歳以上の有権者の中から選ばれる裁判員が<u>刑事</u>裁判の第一審に参加する制度である。

□□□ **39 ★** 最高裁判所の長官は、内閣の指名に基づいて<u>天皇</u>が任命する。最高裁判所における長官以外の裁判官は<u>内閣</u>が任命する。

□□□ **40 ★** 下級裁判所の裁判官は最高裁判所が<u>指名</u>した名簿の中から<u>内閣</u>が任命する。

□□□ **41 ★★** 日本国憲法は「すべて裁判官は、その良心に従ひ<u>独立</u>してその職権を行ひ、この憲法及び法律にのみ拘束される」（76条）と規定し、裁判官の職権の<u>独立</u>を保障している。

□□□ **42 ★★** 裁判官が罷免されるのは、国会での弾劾裁判による場合、<u>心身の故障</u>による職務不能の場合に限られる。これに加え、最高裁判所の裁判官は国民審査による罷免がある。

□□□ **43 ★★** 最高裁判所の裁判官の国民審査は、任命後はじめての<u>衆議院議員総選挙</u>時と、その後 <u>10</u> 年が経過した後にはじめて行われる総選挙時に実施される。

□□□ **44** 何が犯罪で、また、それにどのような刑罰が科せられるかは、議会の制定する法律で事前に定められなければならない。この原則を<u>罪刑法定</u>主義という。

「罪刑法定主義」はフランス人権宣言から各国の憲法で採用されています

選挙制度

□□□ **45** 選挙制度は、普通選挙、平等選挙、直接選挙、秘密選挙の４原則を採用している。

□□□ **46** 性別、財産、身分の違いなどで制限せず、すべての成年者に選挙権を与える選挙を普通選挙、この条件を満たさない選挙方法を制限選挙という。

□□□ **47** １選挙区から１名の代表者を選出する制度を小選挙区制という。これに対して１選挙区から２名以上の代表者を選出する制度を大選挙区制という。

□□□ **48 ★** 小選挙区制は大政党に有利なため政局が安定する一方で、小政党に不利で死票の増加をまねく。

□□□ **49 ★** 大選挙区制は小政党にも当選のチャンスが増え死票が減少するという良い点がある一方で、小党分立をまねきやすく政局は不安定になる。

□□□ **50 ★** 比例代表制は得票率に応じた公平な議席配分を実現でき、死票も減らすことができる一方で、小党分立をまねきやすく、政局が不安定になる。

□□□ **51 ★★** 特定の政党または候補者に有利又は不利になるように、不自然な形で選挙区の境界線を定めることをゲリマンダーという。

□□□ **52** 政治上の主義・主張を同じくする者によって形成され、一定の政治的な利益や政策の実現のために活動する団体を政党と呼ぶ。

□□□ **53 ★** 政府や政党に圧力をかけて政策の決定に影響を与え、自己の集団に固有の利益を実現しようとする団体を圧力団体という。政党は政権獲得を目指すが、圧力団体は政権獲得を目的にしない。

□□□ **54 ★★** イギリスやアメリカは<u>二大政党制</u>、フランスやイタリア
　　　　　　は小党分立制の代表的な国である。

□□□ **55 ★★** 政党が選挙の際に、有権者に対して公約として示す文書
　　　　　　を<u>マニフェスト</u>という。

□□□ **56** 財産や教養、地位があり、地域の名声や人望を集める<u>名</u>
　　　　　　<u>望家</u>（ぼうか）が、党の幹部として組織の活動を掌握する政党のこ
　　　　　　とを<u>名望家</u>政党と呼ぶ。

□□□ **57** 日本国憲法では「すべて<u>公務員</u>は、全体の奉仕者であつ
　　　　　　て、一部の奉仕者ではない」（15 条）と定められている。

> 「政党」と「圧力団体」の違いは
> 要チェック！

地方自治

□□□ **58 ★** イギリスの法学者ブライスは、「地方自治は民主主義の
　　　　　　<u>学校</u>である」と述べている。

□□□ **59** 地方自治の本旨には、地方政治は国から独立した団体に
　　　　　　よって運営されなければならないという<u>団体</u>自治と、地
　　　　　　方政治は住民の意思に基づいて運営されなければならな
　　　　　　いという<u>住民</u>自治の 2 つがある。

□□□ **60 ★** 地方政治における住民の直接請求権には、<u>条例</u>の制定・
　　　　　　改廃（かいはい）、事務の監査、議会の解散、首長・議員・役員の<u>解</u>
　　　　　　<u>職</u>（しょく）などがある。

□□□ **61 ★** 一地方公共団体のみに適用される<u>特別</u>法は、その地方公
　　　　　　共団体の住民のみの住民投票において、有効投票数の<u>過</u>
　　　　　　<u>半数</u>の同意を得なければ、国会はこの法律を制定するこ
　　　　　　とはできない。

□□□ **62 ★★** 住民が<u>条例</u>の制定・改廃を地方公共団体の長に対して請求することを<u>イニシアティブ</u>（国民発案）、国民の意思を投票により国や地方公共団体に反映させる制度を<u>レファレンダム</u>（国民投票）、地方公共団体における主要な公務員に対して<u>解職</u>を要求する権利をリコール（国民解職）という。

□□□ **63** <ruby>三割自治<rt>さんわり</rt></ruby>という表現は、地方公共団体の自主財源である地方税が総収入の3～4割にすぎず、残りの財源を国に依存していることからきている。

✅ ひと口コラム

裁判官にとって最大のミッションは、公平な事件解決です。決して内外からの圧力に屈することがあってはなりません。そのため、日本国憲法では裁判官の職権の独立が保障されています。したがって国会や内閣、ほかの裁判官からの干渉を受けることはありません

合格者のまとめノート

1-02 日本の政治機構と仕組み

✓ 国会の種類

- **通常国会（常会）**……………… 毎年 1 回、1 月に召集される。予算を審議。会期 <u>150</u> 日
- **臨時国会（臨時会）**……………… 内閣が必要と認めた時、またはいずれかの院の総議員 <u>4 分の 1</u> 以上の要求があった時に召集
- **特別国会（特別会）**…………… 衆議院が任期途中で解散された場合、総選挙の日から <u>30</u> 日以内に召集される。内閣総理大臣を指名
- **緊急集会（参議院のみ）**……… 衆議院の解散中、緊急の必要が生じた時、<u>内閣</u>が召集する

✓ 国会の仕事

①法律案の議決
②予算の議決
③<u>条約</u>の承認
④内閣総理大臣の指名
⑤内閣不信任決議（<u>衆議院</u>のみ）
⑥<u>国政調査権</u>（両院がそれぞれ行使）
⑦弾劾裁判所の設置（国会議員で構成、裁判官を罷免するかどうかを決定する）
⑧<u>憲法改正</u>の発議（各議院の総議員の 3 分の 2 以上の賛成を必要とする）
※①～④については衆参の議決が分かれた時、衆議院の<u>優越</u>が認められる

✓議員特権

国民の代表として働くための３つの特権

①<u>不逮捕</u>：院外での現行犯を除き会期中は逮捕されず、院の要求があれば釈放
②<u>免責</u>：院内発言は院外で責任を問われず
③<u>歳費給付</u>：一般国家公務員の最高額以上の所得保障

✓衆議院の優越

法律案	・参議院が衆議院と異なる議決をした場合 ・参議院が<u>60</u>日以内に議決しない場合 →衆議院が出席議員の<u>3分の2</u>以上の再可決で成立
予算の議決 **条約の承認**	・参議院が衆議院と異なる議決をし、 　<u>両院協議会</u>が開かれてもそれでも一致しない場合 ・参議院が<u>30</u>日以内に議決しない場合 →衆議院の議決が国会の議決になる
内閣総理大臣の **指名**	・参議院が衆議院と異なる議決をし、 　<u>両院協議会</u>が開かれてもそれでも一致しない場合 ・参議院が<u>10</u>日以内に議決しない場合 →衆議院の議決が国会の議決になる

✓内閣の仕事

①法律の執行と国務の<u>総理</u>
②条約の締結
③政令の制定
④<u>官吏</u>に関する事務の掌握
⑤天皇の国事行為に対する<u>助言と承認</u>
⑥外交関係の処理
⑦予算の作成と国会への提出
⑧恩赦（減刑など）の決定
⑨<u>最高裁判所長官</u>の指名、そのほかの裁判官の任命

「衆議院の優越」は
しっかりと覚えよう！

✓ 内閣の総辞職

- 衆議院が内閣不信任決議を可決した場合
    - → 10 日以内に衆議院を解散しないと総辞職（69 条）
- 内閣が衆議院を解散した場合
    - →解散総選挙後の特別国会召集時に総辞職（70 条）
- 内閣総理大臣が欠けた場合
    - →総辞職（70 条）

✓ 三審制

慎重で公平な裁判のため、同一事件について裁判を 3 回受けられる制度

※再審制度…有罪が確定した事件に関して確定判決に誤りがあった場合は裁判をやり直す制度

✓ 司法権の独立（裁判官）

- 職権の独立が保障されている（76 条）
- 身分も保障されている
- 心身の故障、公の弾劾、国民審査（最高裁判所の裁判官について）の場合を除き、罷免されない

✓ 違憲立法審査権

- 一切の法律・命令・規則・処分が、憲法に違反しないかどうか審査する権限
「最高裁判所は、一切の法律、命令、規則又は処分が憲法に適合するかしないかを決定する権限を有する終審裁判所である」（81 条）
- すべての裁判所にあり、最高裁が最終決定する
- 法律だけでなく政令などにもおよぶ
- 具体的な事件に付随して行使される付随的違憲審査制

✓ 直接請求権

種類	必要署名数	請求先	取り扱い
条例の制定・改廃	有権者の50分の1以上	首長	議会にかけて結果を公表（住民の意見が反映されるとは限らない）
監査請求	有権者の50分の1以上	監査委員	監査の結果を公表
議会の解散、首長・議員の解職	原則有権者の3分の1以上	選挙管理委員会	住民投票の結果、過半数の同意があれば解散、または解職
役員の解職	原則有権者の3分の1以上	首長	議会にかけ、議員の3分の2以上の出席、その4分の3以上の同意で解職

✓ 選挙区制の特色

①小選挙区制	**1区1名のみ当選**、安定して二大政党制になりやすい、選挙費用が少ない、死票が多い、ゲリマンダーが発生する危険性あり
②大選挙区制	**1区2名以上の当選**、小政党にもチャンスがある、多党制になり政局は不安定になりやすい、選挙費用は多い、死票が少なく民意を反映する
③比例代表制	ドント式に基づいて議席を比例配分、公平で小政党にもチャンスがある、多党制になり政局は不安定になりやすい、**拘束名簿式**（名簿順位あり）と**非拘束名簿式**（名簿順位なし）がある

「選挙区制度」を混同しないように
特色をしっかり覚えよう！

1-03 | 国際社会の構造と国民の生活

人権や平和を守るための国際社会の取り組みを整理し、国民の生活における社会問題について理解を深めましょう。

国際連盟と国際連合

優先度：★★＞★＞無印

□□□ **1** ★★ オランダの法学者の<u>グロチウス</u>は『戦争と平和の法について』を著し、「国際法の父」と呼ばれた。

□□□ **2** 国際連盟は、アメリカの大統領<u>ウィルソン</u>の提唱によって、第一次世界大戦後の 1920 年に発足した。

□□□ **3** ★★ 国際連盟の欠陥としては、<u>全会一致制</u>により議決が成立しにくかったこと、軍事制裁規定が欠けていたこと、大国のアメリカが不参加だったことなどがあげられる。

□□□ **4** 1928 年にアメリカの国務長官ケロッグとフランスの外相ブリアンが、国家の政策の手段としての戦争放棄を定めた。この条約を<u>不戦条約</u>（ケロッグ・ブリアン協定）という。

□□□ **5** ★ <u>サンフランシスコ</u>会議で採択された国際連合憲章に基づいて、1945 年 10 月に国際連合が設立された。

□□□ **6** ★ 国際連合の目的は、平和・安全の維持と国際協力の促進。本部はアメリカの<u>ニューヨーク</u>、原加盟国は 51 カ国であった。

□□□ **7** 国際連合は、総会、安全保障理事会（安保理）、経済社会理事会、信託統治理事会、<u>国際司法裁判所</u>、事務局の 6 つの主要機関からなっている。

□□□ **8** ★ 総会の投票は「<u>一国一票制</u>」（＝主権平等）で、議決方法は、一般事項は過半数、重要事項は 3 分の 2 以上の賛成が必要である。

□□□ **9** ★★ 安保理は、アメリカ・イギリス・フランス・ロシア・中国の永久にその地位が保障されている<u>5</u>大国の常任理事国と、任期2年の<u>10</u>カ国の非常任理事国で構成されている。

□□□ **10** 安保理の議決要件は、実質事項に関する決定には<u>5</u>カ国の常任理事国のすべてを含む<u>9</u>カ国の理事国の賛成が必要である。

□□□ **11** ★ 安保理の常任理事国の反対投票は<u>拒否</u>権と呼ばれ、その行使により決議は否決される。

□□□ **12** ★ 1950年に発生した朝鮮戦争の最中に、安保理が<u>拒否</u>権により機能停止した場合、総会が強制措置を勧告できるとした「<u>平和のための結集</u>」決議が採択された。

□□□ **13** ★★ 国際連合の主要機関の1つに、経済、社会、文化、教育、人権問題などの分野での国際協力を目的とする経済社会理事会がある。国連の<u>専門</u>機関は、この経済社会理事会を通じて国連と連携している。

□□□ **14** ★★ 国際連合の主要機関の1つに、未開発地域の国家の独立達成を支援するための<u>信託統治</u>理事会があるが、現在その任務は終了している。

□□□ **15** ★★ <u>国際司法</u>裁判所は、国家間の国際法上の紛争を解決する裁判所だが、紛争当事国双方が同意しない限り裁判ははじめられない。

□□□ **16** ★ 武力紛争の平和的な収拾を図るために、国際連合が現地に治安維持や監視のための小部隊や監視団を派遣して、事態の悪化を防ぐための活動を<u>国連平和維持活動</u>（PKO）という。

□□□ **17** 国際的規模での労働条件の改善を目指す国際連合の専門機関は、<u>国際労働機関</u>（ILO）である。

□□□ **18** 教育、科学、文化を通じて諸国間の協力を促進し、世界の平和と安全に貢献することを目的とする国際連合の専門機関を、<u>国連教育科学文化機関</u>（UNESCO）という。

□□□ **19** 南北問題を討議する国際連合総会直属の機関を、<u>国連貿易開発会議</u>（UNCTAD）という。

□□□ **20** 開発途上国や災害地の児童の医療、教育、福祉などを援助するために、国連総会が設置した補助機関は<u>国連児童基金</u>（UNICEF）である。

「国際連盟」と「国際連合」の違いは要チェック！

労働三法

□□□ **21** 日本国憲法で労働基本権に属するのは、勤労の権利（27条）と<u>労働三権</u>（28条）である。

□□□ **22 ★** <u>労働三権</u>は、労働者の基本的な３つの権利である、団結権、団体交渉権、<u>団体行動権</u>の総称である。

□□□ **23 ★★** 職務の公共性からすべての公務員は<u>団体行動権</u>が一切禁じられている。特に治安維持系の警察、消防、刑務官、自衛官は<u>労働三権</u>すべてが法律上、禁止されている。

□□□ **24** 労働基本権を具体的に保障するために、労働組合法→<u>労働関係調整法</u>→<u>労働基準法</u>の労働三法が制定された（制定年順）。

□□□ **25 ★★** <u>労働基準法</u>の目的は、労働条件の最低基準を定めることで、労働者に人たるに値する生活である<u>生存権</u>を保障することである。

□□□ **26 ★★** 労働組合法の目的は、憲法28条で保障されている<u>労働三権</u>を活用できる環境を整え、労働者の地位の向上を目指すことである。我が国の労働組合の組織率は、<u>低下</u>傾向にある。

□□□ **27 ★** 使用者が労働者の<u>労働三権</u>を侵害すること、または労働組合運動を妨害する行為を<u>不当労働</u>行為という。使用者にこの<u>不当労働</u>行為があった場合は、労働者は労働委員会に申し立てを行い、救済を受けることができる。

□□□ **28 ★** 労働組合に加入しないこと、または労働組合からの脱退を条件とする雇用契約を<u>黄犬</u>（おうけん）契約という。

□□□ **29** 労働組合の正当な争議行為は、刑事<u>上</u>および民事<u>上</u>の<u>免責</u>が認められる。

□□□ **30** 労使の対立を調整するために作られた法律が<u>労働関係調整法</u>であり、その目的は労働争議の予防と解決である。

□□□ **31 ★★** 労働者側の争議行為には、ストライキ（同盟罷業（どうめいひぎょう）)、サボタージュ（怠業（たいぎょう）)があり、使用者側の争議行為には、<u>ロックアウト</u>（作業所閉鎖）がある。

□□□ **32 ★★** <u>労働関係調整法</u>では、労働争議の調整は<u>斡旋</u>（あっせん）、調停、仲裁の順に行われる。

□□□ **33** 労使間の協定によって従業員資格と労働組合員資格を関係させることを<u>ショップ</u>制という。

□□□ **34 ★** 労働組合に加入していても加入していなくても、従業員の資格に関係がないのが<u>オープン・ショップ</u>制である。

□□□ **35 ★** 企業に採用された者は必ず労働組合に加入することが条件となっているのが<u>ユニオン・ショップ</u>制である。

□□□ **36 ★** 使用者が従業員を雇用する場合、特定の労働組合加入者から採用しなければならないのが<u>クローズド・ショップ</u>制である。

□□□ **37** 日本の労働組合は企業ごとに、その企業で働く正規の雇用者で作られる<u>企業別</u>労働組合がほとんどである。

□□□ **38** 仕事がなく、仕事を探していた人で、仕事があればすぐ仕事に就ける人のことを<u>完全失業者</u>という。労働力人口（就業者と<u>完全失業者</u>の合計）に占める<u>完全失業者</u>の割合を示したものが<u>完全失業</u>率である。

□□□ **39 ★★** 職場での男女平等を目指して、募集、採用、昇進などでの女性差別を禁じた法律を<u>男女雇用機会均等</u>（だんじょ こようき かいきんとう）法という。

> 「仲裁」における委員会の決定には法的拘束力があります

社会保障制度

□□□ **40** <u>エリザベス 救貧</u>（きゅうひん）法は、1601年にイギリスで制定された世界初の公的扶助（ふじょ）である。

□□□ **41** 世界ではじめての社会保険は、19世紀後半にドイツの<u>ビスマルク</u>首相のアメとムチ政策で実施された。アメが社会保険で、ムチは<u>社会主義者鎮圧</u>法である。

□□□ **42** 世界ではじめて社会保障法を制定したのはアメリカだが、完備した社会保障法は<u>ニュージーランド</u>が初であった。

□□□ **43 ★★** イギリスでは<u>ベバリッジ</u>報告で「ゆりかごから墓場まで」というスローガンで社会保障制度が整備された。

□□□ **44 ★★** 我が国の社会保障制度は、社会保険、公的扶助、社会福祉、<u>公衆衛生</u>の4つの柱からなっている。

□□□ **45** 病気、失業、<u>労働</u>災害、老齢への不安などの生活不安の解消のために国が保険料を徴収し、保険事由の発生時に現金やサービスを給付する制度が社会保険である。

□□□ **46 ★★** 1958年に農業従事者や自営業者を対象とする国民健康保険法が制定された。1961年には国民健康保険が全区市町村で実施され、国民のすべてが健康保険制度に加入する<u>国民皆保険</u>が実現した。

□□□ **47 ★** 公的扶助は、生活困窮者に対して最低限の生活を国が保障する仕組みである。<u>生活保護</u>ともいい、<u>生活保護法</u>に基づいて、生活、医療、介護、教育、住宅、出産、生業、葬祭の8つの扶助が認められている。

□□□ **48 ★** 社会福祉は、障害者や高齢者、<u>母子家庭</u>などの社会的弱者に、国や地方公共団体などが各種のサービスを提供することである。

□□□ **49** <u>公衆衛生</u>は、地域社会の人々の健康の保持・増進を図り、疾病を予防するために、十分な生活環境や医療体制を公共的に確立することである。

公害と地球環境問題

□□□ **50 ★** 日本の公害の原点は、代議士の田中正造が天皇に直訴したことで有名な<u>足尾銅山鉱毒</u>事件である。

□□□ **51** 日本では<u>高度経済成長</u>期に公害問題が深刻化した。

□□□ **52 ★★** 四大公害病は、熊本県水俣湾で発生した水俣病、富山県神通川で発生した<u>イタイイタイ</u>病、三重県四日市市で発生した四日市ぜんそく、新潟県阿賀野川で発生した新潟水俣病である。

□□□ **53 ★** 1967年の公害対策基本法において、大気汚染、水質汚濁、土壌汚染、騒音、振動、地盤沈下、悪臭の「<u>七つの公害</u>」を規定し公害行政がスタートした。

□□□ 54 ★★ 公害対策基本法から「公害対策と経済発展の調和条項」を削除し、公害関連の法整備を行い、環境庁の設置を決定した1970年の国会は公害国会と呼ばれる。

□□□ 55 環境庁は1971年に発足し、2001年の中央省庁再編に伴い環境省となった。

□□□ 56 ★★ 1993年には、前年に開催された地球サミットを受け、廃棄物や放射性物質、地球環境問題などに対処すべく公害対策基本法を解消して環境基本法が制定された。

□□□ 57 ★ 大規模開発事業の環境への影響を事前に調査する環境アセスメント法（環境影響評価法）が1997年に成立した。

□□□ 58 公害防止のための費用は、損害賠償や補償を含めすべてその原因となった公害を発生させた企業が負担するという原則を汚染者負担の原則（PPPの原則）という。

□□□ 59 ★ 公害発生企業や欠陥商品製造企業に対して、故意・過失の有無にかかわらず、その損害賠償の責任を認めることを無過失責任の原則という。

□□□ 60 「宇宙船地球号」は地球を限られた資源しか持たない宇宙船にたとえた語で、アメリカの経済学者ボールディングらによって1960年代に一般化された。

□□□ 61 アメリカの生物学者カーソンは著書『沈黙の春』で、DDTなどによる農薬汚染をはじめて警告した。

□□□ 62 1972年にローマ・クラブが発表した報告書『成長の限界』は、資源やエネルギーは有限であり枯渇が心配されるとし、人口や経済成長の減速を主張した。

□□□ 63 国連人間環境会議は「かけがえのない地球」をスローガンに掲げ、1972年にスウェーデンのストックホルムで開催された。

□□□ 64 ★ 地球サミットは「持続可能な開発」をスローガンに掲げ、1992年にブラジルのリオデジャネイロで開催された。

☐☐☐ **65** 　地球サミットで採択された条約は、気候変動枠組み条約と<u>生物多様性</u>条約である。

☐☐☐ **66** ★★スプレーやエアコンで大量に使用されていたフロンガスにより、地球を紫外線から守る成層圏の<u>オゾン</u>層が破壊され、地表に直射する有害な紫外線の量が増えることによる、ガンの増加や農作物の収穫量の減少などの被害が懸念されている。

☐☐☐ **67** ★★排気ガスや排煙中の硫黄酸化物や窒素酸化物が雨に溶けて<u>酸性雨</u>が発生し、森林や遺跡などが破壊されている。

☐☐☐ **68** ★★地球温暖化の原因となる物質は、二酸化炭素、メタン、フロンガスなど、自動車排気ガスや工場の煤煙中に含まれる<u>温室効果ガス</u>である。

☐☐☐ **69** ★　地球温暖化の影響には、極地の氷の氷解による海面の上昇、熱波と寒波、旱魃と洪水などの<u>異常気象</u>、生態系のバランス崩壊などがある。

☐☐☐ **70** ★　1997 年に京都で開催された京都会議で、温室効果ガスの削減目標を定める<u>京都議定書</u>が採択された。

✅ ひと口コラム

地球規模での環境問題への取り組みは、戦後復興と経済成長が一段落した 1970 年代から本格化しています。レイチェル・カーソンの『沈黙の春』が出版されたのは 1962 年のことでした。それまで世界は環境に配慮しないで、経済成長に夢中になっていたというわけです。

合格者のまとめノート

1-03 国際社会の構造と 国民の生活

✓ 国際平和に対する2つの方式

①<u>勢力均衡</u>：互いに同程度の軍事力を保つことで平和を維持する。軍拡競争に歯止めがきかなくなる可能性がある

②<u>集団安全保障</u>：国際平和機構を作ることで、侵略国に対して集団で防衛する。侵略国が大国である場合、加盟国全体が制裁を加えると世界大戦になる可能性がある

✓ 国際連盟と国際連合

	国際連盟	国際連合
発足年	1920年	1945年
本部	<u>ジュネーブ</u>	<u>ニューヨーク</u>
加盟国	原加盟国42カ国 アメリカは不参加 ソ連の加入が遅かった 日・独・伊は脱退	原加盟国51カ国 世界のほとんどの国が加盟
備考	欠点：大国の不参加、 　　　全会一致制、 　　　制裁が<u>経済制裁</u>のみ	主要機関：総会、<u>安全保障理事会</u>、 　　　　　経済社会理事会、信託統 　　　　　治理事会、事務局、国際 　　　　　司法裁判所

・<u>国連軍</u>

　非軍事的措置では不十分である場合、必要な軍事的措置をとるために国連憲章に従って安全保障理事会と国連加盟国との間の協定により編成される。今日まで正規の<u>国連軍</u>が組織されたことはない。

・**国際連合の代表的な専門機関**

国連の下部機関ではなく、<u>経済社会理事会</u>を通じて国連と協力する

国際労働機関（<u>ILO</u>）1919年発足：労働者の問題の解決
国連食糧農業機関（FAO）1945年発足：農林水産業・飢餓問題
国際復興開発銀行（IBRD）1946年から業務開始：長期の融資
国連教育科学文化機関（<u>UNESCO</u>）1946年発足：教育・科学・文化・通信
国際通貨基金（IMF）1947年から業務開始：短期の融資
<u>世界保健機関</u>（WHO）1948年発足：健康・医療
世界知的所有権機関（<u>WIPO</u>）1970年発足：知的財産権の保護

✓ 労働三権

①**団結権**……………………………団結して労働組合を結成する権利
②**団体交渉権**……………………労働組合が使用者と交渉する権利
③<u>団体行動権</u>（**争議権**）…………団結して行動を起こし、使用者側に要求を
　　　　　　　　　　　　　　　　認めさせる権利

✓ 労働争議

・**ストライキ**…………労働力の提供を拒否する（同盟罷業）
・**サボタージュ**………作業の能率を低下させる（怠業）
・<u>ピケッティング</u>……工場の出入り口に監視線を設けてスト脱落を防止
・**ロックアウト**………工場を閉鎖して労働者を締め出す（作業所閉鎖）
　　　　　　　　　　※使用者側の措置

✓ 労働組合のショップ制（組合加入と従業員資格の関係）

・**オープン・ショップ制**………雇用と労働組合への加入は無関係
・**ユニオン・ショップ制**………雇用された人は労働組合に加入の義務がある
・**クローズド・ショップ制**……使用者は労働組合加入者だけを雇用（義務）
　※日本はほとんどが<u>企業別組合</u>なので、企業に雇用された後で組合に入る

✓ 日本の社会保障制度

①社会保険
医療、年金、雇用、労働者災害
補償、介護の各保険からなる。
※保険料を徴収

②公的扶助
生活保護法に基づき、生活、住
宅、教育、医療、介護、生業、
出産、葬祭を扶助。
※保険料は公費負担

③社会福祉
児童、高齢者、障害者などの社
会的弱者に対して、生活支援
として福祉サービスを提供。
※保険料はとらない

④公衆衛生
保健所などを中心に、国民の
健康の維持・増進を図るため
に保健・衛生事業や環境整備
を行う。感染症予防、上下水
道の整備、廃棄物処理など。

✓ 福祉六法

福祉関係の基本法
　生活保護法 / 児童福祉法 / 身体障害者福祉法 / 知的障害者福祉法 /
　老人福祉法 / 母子及び父子並びに寡婦福祉法

✓ 循環型社会形成推進基本法 （2000 年）

日本の循環型社会の形成を推進する基本原則。
①廃棄物の発生抑制（リデュース）を最優先として、②再使用（リユース）
や③再資源化（リサイクル）を進める「3 Rの原則」が採用されている。

✓ 産業基盤と生活基盤

日本は産業基盤（道路や港湾）よりも生活基盤（公園や上下水道）の整備が
遅れている。

✓ 四大公害病

病名	原因	場所
水俣病	有機水銀	熊本県水俣湾
イタイイタイ病	カドミウム	富山県神通川
四日市ぜんそく	亜硫酸ガス	三重県四日市市
新潟水俣病	有機水銀	新潟県阿賀野川

※すべて原告の勝訴

✓ 地球環境に関する国際会議

会議名 (開催年)	場所	スローガン
国連人間環境会議 (1972)	ストックホルム	「かけがえのない地球」
国連環境開発会議 (1992)	リオデジャネイロ	「持続可能な開発」
環境開発サミット (2002)	ヨハネスブルク	
国連持続可能な開発会議 (2012)	リオデジャネイロ	「我々の望む未来」

✓ 自然保護に関する条約

ワシントン条約
絶滅の恐れのある野生動植物の種の国際取引に関する条約で、国際的商取引を規制する

ラムサール条約
水鳥の生息地として国際的に重要な湿地とそこに生息する動植物を保全する

国連を中心とした地球環境問題の取り組みは要チェック！

1-04 | 経済の仕組みと国民経済

経済に関する基本的な内容と用語を学んでいきます。需要と供給の関係や、景気に合わせた政策を理解しましょう。

経済理論と市場機構

優先度：★★＞★＞無印

□□□ **1** アダム・スミスは『国富論（諸国民の富）』を著し、自由放任主義に立てば「神の見えざる手」に導かれて、社会全体の調和が実現できると説いた。

□□□ **2** ★★ 資本主義がもたらす不況、失業、貧困などの問題を解決するために政府の市場介入が行われる資本主義のことを修正資本主義という。

□□□ **3** ★★ 1933年からアメリカのフランクリン・ローズベルト大統領によって実施された世界恐慌を克服するための政策をニューディール政策という。

□□□ **4** ★★ ケインズは1936年に『雇用・利子および貨幣の一般理論』を著し、不況下では政府が積極的に市場に介入して有効需要を創出するのが効果的だと説いた。彼の理論はケインズ革命と呼ばれた。

□□□ **5** 競争市場で需要と供給の関係で決まる価格を市場価格という。

□□□ **6** 価格の変動を通じて需要量と供給量が一致する均衡価格に向かっていくことを、価格の自動調節作用という。

□□□ **7** ★ ある商品の価格が一定の幅で上下した時に、その商品の需要量と供給量がどれくらい敏感に上下するかを示す概念を価格弾力性という。

□□□ **8** 少数の企業が供給の大部分を占めている寡占市場で、市場の需給関係ではなく企業の市場支配力によって設定される価格を管理価格という。

□□□ **9 ★** 価格の<u>下方硬直性</u>とは、いったん<u>寡占</u>市場で管理価格が設定されると、たとえ需要が減っても価格が下がりにくくなることをいう。

□□□ **10 ★** 寡占市場においてみられる、商品の品質、ブランド、広告などの価格以外の競争のことを<u>非価格競争</u>という。

独占の形態・国富と国民所得

□□□ **11 ★★** 業界トップの企業（プライス・リーダー）の設定した管理価格に、２位以下の企業が追随して価格が決定されることを<u>プライス・リーダーシップ</u>という。

□□□ **12 ★★** 独占禁止法は、市場の独占や不公正な取引を取り締まり、自由な競争を促進するために 1947 年に制定された。独占禁止法の目的を達成するために設置された行政機関が<u>公正取引委員会</u>である。

□□□ **13 ★★** 独占の形態には、<u>カルテル</u>（企業連合）・トラスト（企業合同）・コンツェルン（企業連携）がある。

□□□ **14** 1 国がある時点で保有する資産（実物資産と対外純資産）の合計金額を<u>国富</u>といい、その年だけのフロー（流れ）ではなく、その年までの財産のストック（蓄積）の概念である。

□□□ **15** 1 国が 1 年間に生む付加価値（新たに生み出された財やサービス）の販売合計金額を<u>国民所得</u>といい、その年に生まれた所得だけを見る、その年だけのお金のフロー（流れ）の概念である。

□□□ **16**　最終生産物を生産するために用いられた原材料や燃料などのことを<u>中間生産物</u>という。

□□□ **17★**　一国の総生産額（生産過程で使ったお金をすべて合計したもの）から<u>中間生産物</u>の価値額を差し引いた金額が<u>国民総生産</u>（GNP）である。

□□□ **18★**　国民総生産（GNP）から固定資本減耗分（減価償却<ruby>費<rt>ひ</rt></ruby>）を引いた金額が<u>国民純生産</u>（NNP）である。

□□□ **19★**　国民純生産（NNP）から間接税を引いて<u>補助金</u>を足した金額が、狭義の国民所得（NI）である。

□□□ **20**　<u>国民総生産</u>（GNP）と<u>国民純生産</u>（NNP）が市場価格表示（売値で計算）の国民所得であるのに対して、狭義の国民所得（NI）は<u>要素費用表示</u>（生産費で計算）の国民所得である。

□□□ **21★★**　1つの国民所得を、生産面・分配面・支出面の3面から見た時、それらは同じものを3つの局面から見ているだけなので、すべて同じ金額になる。これを<u>三面等価の原則</u>という。

□□□ **22★**　国民総生産（GNP）を国内活動だけで見ると<u>国内総生産</u>（GDP）になる。<u>国民総生産</u>（GNP）に、外国の企業が日本国内であげた所得のうちの海外に送金されたものを加え、企業が海外の現地工場から受け取った所得などを差し引いて計算する。

□□□ **23**　国民総生産（GNP）や国内総生産（GDP）の1年間の増加率を経済成長率という。その年の物価で示した名目経済成長率を、物価変動分を考慮して計算したものが<u>実質経済成長率</u>である。

□□□ **24**　2000年頃から<u>国民総生産</u>（GNP）に代わって国民総所得（<u>GNI</u>）という名称が使われるようになった。

景気変動と金融政策

☐☐☐ **25** 資本主義で自由に経済を行っていると「好況」→「後退」→「不況」→「回復」の４つの局面が周期的に表れる。この繰り返しを景気循環（変動）という。

☐☐☐ **26 ★★** 景気循環(変動)は、周期の長さによって<u>キチン</u>の波、ジュグラーの波、クズネッツの波、コンドラチェフの波の４つが知られている。

☐☐☐ **27 ★** 通貨の価値を金との交換で保証している通貨制度を<u>金本位制度</u>、各国の中央銀行が独自の判断で通貨を発行できる通貨制度を<u>管理通貨制度</u>という。

☐☐☐ **28 ★** 日本の中央銀行である日本銀行の３大業務（役割）は、唯一の<u>発券銀行</u>、銀行の銀行、政府の銀行である。

☐☐☐ **29 ★★** 日本銀行の金融政策は従来、<u>公定歩合</u>操作、公開市場操作、支払準備率操作の３つであったが、現在は公開市場操作を軸とした手法をとっている。

☐☐☐ **30** 中央銀行が市中銀行に貸し出す時の利子率を<u>公定歩合</u>という。2006 年から日本銀行は<u>公定歩合</u>を「基準割引率および基準貸付利率」と呼んでいる。

☐☐☐ **31 ★** 物価がかなりの期間持続して上昇する現象をインフレーション（インフレ）、物価の下落が２年以上続く現象をデフレーション（デフレ）、景気停滞下での物価の持続的な上昇を<u>スタグフレーション</u>という。

☐☐☐ **32 ★★** 公開市場操作において、景気過熱・インフレ対策では、<u>売り</u>オペレーションを行い、一方で、景気停滞・デフレ対策では、<u>買い</u>オペレーションを行う。

好況時は通貨を減らし、不況時は通貨を増やします

財政政策

□□□ **33** 国の予算には、通常の行政を行うための一般会計予算、国が特定の事業を行うための特別会計予算、政府が全額出資する特殊法人などの政府関係機関予算の3つがある。

□□□ **34** 国による財政資金の投資や融資を財政投融資という。2000年以前は規模が大きく、一般会計予算に次ぐものであったため「第二の予算」と呼ばれた。

□□□ **35** 会計年度の途中で予算を追加、あるいは変更するために作られる予算を補正予算という。

□□□ **36** 公債(こうさい)は、国や地方公共団体が財政資金の不足を補うために発行する債券(さいけん)のことで、国が発行する国債(こくさい)と地方公共団体が発行する地方債がある。

□□□ **37 ★★** 国債にはインフラ整備のための建設国債と、一般会計の歳入(さいにゅう)不足を補うための借入金(かりいれきん)である赤字国債がある。財政法は原則として借入金を禁じているが、社会資本という形で後世に残る建設国債の発行は認めている。

□□□ **38 ★★** 財政法は赤字国債の発行を禁じているが、実際は会計年度ごとに財政特例法を制定して発行している。

□□□ **39 ★** 財政には、公共財やサービスを提供する「資源の配分」、貧富の差を解消させる「所得の再分配」、財政支出を増減させる「経済の安定化」の3つの役割がある。

□□□ **40 ★** 「資源の配分」の役割を果たすために、政府は利益を追求する民間企業では提供できない公共財や公共サービスを提供している。

□□□ **41 ★** 政府は「所得の再分配」の役割を果たすために、所得税は累進課税(るいしんかぜい)制度で高額所得者から高率で税を徴収し、その資金を生活保護や失業保険などの社会保障制度の仕組みを通じて低所得者に移転している。

□□□ **42 ★** 「経済の安定化」の役割を果たすために、政府が景気動向に合わせて財政を操作することを**フィスカル・ポリシー**といい、不況時には公共投資を増やし、減税を行うことで景気を刺激し、好況時には公共投資を減らし、増税を行うことで景気の過熱を抑制する。

□□□ **43 ★** 「経済の安定化」の役割を果たすために、あらかじめ設置した財政メカニズム（累進課税制度や社会保障制度）が景気を自動的に調整することを**ビルト・イン・スタビライザー**という。

□□□ **44** 景気の調整や物価の安定などの経済目標を達成するために、日本銀行の金融政策や政府の財政政策を組み合わせて行う経済政策を**ポリシー・ミックス**という。

□□□ **45 ★★** 財政の原則は<u>均衡財政</u>だが、デフレ対策として行うべきなのは赤字財政で、インフレ対策として行うべきなのは黒字財政である。

> 国民生活の安定を目指す「財政」の3つの役割を理解しよう！

市場の失敗と税の仕組み

□□□ **46 ★★** 市場のメカニズムが機能しないことや、市場そのものが存在しないことを<u>市場の失敗</u>（市場機構の限界）という。

□□□ **47 ★★** <u>市場の失敗</u>により発生した公害対策には、汚染者自身に公害発生防止のコストを負担させるために<u>外部不経済</u>の内部化が必要になる。

□□□ **48** 通貨には現金通貨と<u>預金通貨</u>の2種類がある。

□□□ **49 ★**　企業や個人、地方公共団体が保有する通貨の総量のこと
を<u>マネー・ストック</u>（マネー・サプライと同義）という。
通貨量の市中残高を示す<u>マネー・ストック</u>は、景気対策
の重要な指標となっている。

□□□ **50**　納税義務者と税負担者が同じである税を<u>直接税</u>といい、
所得税や法人税などがこれにあたる。また、納税義務者
と税負担者が異なり、租税の価格への転嫁（てんか）を予定する税
を<u>間接税</u>といい、消費税や酒税（しゅぜい）などがこれにあたる。

□□□ **51**　生活必需品に一律課税する消費税は、低所得者の税負担
が重くなる<u>逆進性</u>を持つ。

✓ ひと口コラム

日本銀行券（紙幣）は日本銀行が、補助貨幣（硬貨）は財務省
が発行しています。このため、日本銀行と財務省は、通貨当局
と呼ばれています。もちろん紙幣のほうが圧倒的に金額が多い
ので、世の中の通貨量を調整するのは日本銀行の役目というこ
とになります。

▌MEMO

合格者のまとめノート

1-04　経済の仕組みと　　　国民経済

✓ 独占の形態

- ・カルテル（企業連合）…………価格や生産量の<u>協定</u>を同業者で結ぶこと
- ・<u>トラスト</u>（企業合同）…………同一業種の企業合併
　　　　　　　　　　　　　　　異業種込みは「コングロマリット」
- ・コンツェルン（企業連携）……<u>財閥</u>の形態
　　　　　　　　　　　　　　　親会社が子会社株の過半数を所有し支配

✓ 4つの国民所得の計算

①**総生産額**＝生産過程で使ったお金を全部足したもの

②**国民総生産（GNP）** ＝ 総生産額 － 中間生産物（原材料・燃料費）

③**国民純生産（NNP）** ＝ 国民総生産（GNP） － 減価償却費（固定資本減耗分）

④**狭義の国民所得（NI）** ＝ 国民純生産（NNP） － 間接税 ＋ 補助金

> 「4つの国民所得」の計算方法の違いは要注意！

✓ 価格の種類

- ・市場価格…………自由競争市場で実際に売買される時の価格
- ・独占価格…………一社独占での価格。通常は<u>寡占</u>価格や管理価格をいう
- ・<u>寡占</u>価格…………少数の企業で協定を結んで市場を支配する場合の価格
- ・管理価格…………<u>プライスリーダー</u>が価格を設定。他社はそれに追随する
- ・<u>統制</u>価格…………政府などの公共機関が人為的に決定する価格。公共料金

✓ 景気循環（変動）の波

	周期	原因
キチンの波（短期波動）	約40カ月	在庫変動
ジュグラーの波（中期波動）	7〜10年	設備投資
クズネッツの波（建築循環）	約20年	住宅・建物の建築
コンドラチェフの波（長期波動）	約50年	イノベーション

✓ インフレの型

・原因による型：ディマンド・プル・インフレーション

　　　　　　　　＝需要の増加に供給が追いつかないために生じる

　　　　　　　　コスト・プッシュ・インフレーション

　　　　　　　　＝賃金や原材料費など生産コストの上昇で生じる

・速度による型：クリーピング・インフレーション＝緩やかに進むインフレ

　　　　　　　　ギャロッピング・インフレーション＝駆け足インフレ

✓ ポリシー・ミックス

財政とともに、**金融政策**、**為替政策**などを組み合わせて行う経済政策

・金融政策

	景気過熱時（↑）	景気停滞時（→）
金利政策	公定歩合引き上げ（↑）	公定歩合引き下げ（↓）
公開市場操作	売りオペレーション	買いオペレーション
預金準備率操作	引き上げ（↑）	引き下げ（↓）

・財政政策

	景気過熱時（↑）	景気停滞時（→）
公共投資	削減	増大
租税政策	増税	減税
社会保障政策	減少（↓）	増大（↑）

※景気過熱時はマネー・ストックを減らし（↓）、

　景気停滞時はマネー・ストックを増やす（↑）政策を行う

✓ 需要供給曲線

需要（DEMAND）……財やサービスを買う側

価格が上がれば減少（ ↓ ）、価格が下がれば増加（ ↑ ）

需要曲線は右下がり（じゅようの「じ」の形）

供給（SUPPLY）……財やサービスを売る側

価格が上がれば増加（ ↑ ）、価格が下がれば減少（ ↓ ）

供給曲線は右上がり

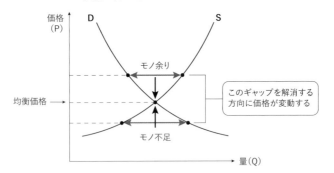

✓ 需要の価格弾力性

価格の上下変動があった時に買い手の量がどのように変化するか

①傾きの急な需要……………価格が上下しても買い手の量は
（弾力性：小）
　　　　それほど変化しない = 生活必需品

②傾きの緩やかな需要………価格が上下すると買い手の量も
（弾力性：大）
　　　　敏感に変化する = ぜいたく品

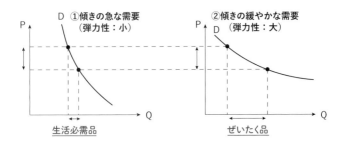

✓需要曲線のシフト

需要量が減少（↓） （需要曲線の左シフト（D₁←D₂））	要因	需要量が増大（↑） （需要曲線の右シフト（D₁→D₂））
減少（↓）	<u>所得</u>	増加（↑）
減少（↓）	人口	増加（↑）
増税（↑）	税	減税（↓）
廃れた場合	人気や流行	ある場合
下がった場合（↓） 例 バターの値段が下がったため マーガリンが売れなくなった	代替品の 価格	上がった場合（↑） 例 バターの値段が上がったため マーガリンが売れる

※要因はすべて反対になる

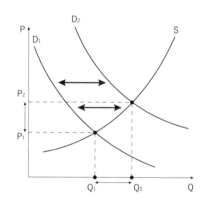

✓税金の種類

国税 ┬ **直接税**：<u>所得税</u>、法人税、相続税、贈与税
└ **間接税**：<u>消費税</u>、酒税、国たばこ税、揮発油税　など

地方税 ┬ **直接税**：住民税、事業税、自動車税、軽自動車税　など
└ **間接税**：ゴルフ場利用税、地方たばこ税、入湯税　など

1-05 | 国際経済と戦後日本経済の発展

経済学説の発展や、国際経済に関する主な出来事や仕組みについて
整理し、理解を深めておきましょう。

国際貿易と国際収支

優先度：★★＞★＞無印

□□□ **1** 19世紀のイギリスで<u>アダム・スミス</u>やリカードによって主張された、国家の干渉がなく自由に貿易が行われることを自由貿易という。

□□□ **2** ★★ リカードは『経済学及び課税の原理』を著し、自国内で生産コストが安くつく商品に生産を特化し、お互いがそれを自由貿易で交換すれば双方にとって有利になるという<u>比較生産費</u>説を主張した。

□□□ **3** ★★ ドイツの経済学者<u>リスト</u>は国内の幼稚産業を保護育成するために、国家が貿易に介入し、輸入品に関税を課すことで輸入品の国内流入を防ぐ保護貿易の必要性を主張した。

□□□ **4** ★ 輸入品に高い関税を課して国内の販売価格を関税分高くすることが<u>関税障壁</u>、輸入数量の制限などで国内産業を保護するやり方が<u>非関税障壁</u>である。

□□□ **5** ★ 第二次世界大戦前の各国の保護貿易が排他的な<u>ブロック</u>経済圏を形成し、帝国主義戦争をまねいたといわれる。

□□□ **6** ★★ 第二次世界大戦後は自由貿易体制が作られ、関税の引き下げや数量制限の撤廃による貿易の自由化を目指し、関税及び貿易に関する一般協定（<u>GATT</u>）が発効された。

□□□ **7** 国際通貨基金（<u>IMF</u>）は貿易の支払い手段である外国為替の安定を図り、自由貿易を支払い面で支えている。

□□□ **8** 1年間に外国との間で行った貨幣の受け取りと支払いの収支決算を国際収支という。国際収支が黒字の場合は、外国からの通貨の受け取りが多く<u>外貨準備高</u>は増え、逆に赤字の場合は、外国への通貨の支払いが多いため<u>外貨準備</u>高は減る。

□□□ **9** ★ 国際間の決済や金融取引に広く使用される通貨を<u>基軸通貨</u>（キーカレンシー）という。

□□□ **10** 外国通貨と自国通貨の交換比率を<u>為替相場</u>(為替レート)という。

□□□ **11** 為替相場を一定の値に固定しておく制度を<u>固定為替相場制度</u>という。

□□□ **12** 変動為替相場制の下では、為替レートは外国為替市場における各国の<u>通貨</u>の需給関係で決定する。

□□□ **13** 外国為替市場でドル売り・円買いが実行されると、ドルが供給されて円の需要が高まり円<u>高</u>ドル<u>安</u>になる。

□□□ **14** ★ 日本の輸出が増えると円<u>高</u>になり、輸入が増えると円<u>安</u>になる。

□□□ **15** ★ 日本からの海外旅行者が増えると円<u>安</u>になり、日本への海外旅行者が増えると円<u>高</u>になる。

□□□ **16** ★ 円高になると円の購買力が<u>上</u>がるため、輸入品は値下がりし、<u>輸入</u>が有利になる。

□□□ **17** ★ 円安になると支払いがドルの場合、輸出品は値下がりするため<u>輸出</u>が有利になる。

> リカードとリスト、それぞれの主張の違いを押さえよう！

戦後の自由貿易体制の変遷

□□□ **18 ★★** 1944 年にアメリカのブレトン・ウッズで締結された世界経済の安定と発展のための協定をブレトン・ウッズ協定といい、これにより国際通貨基金（IMF）と国際復興開発銀行（IBRD）が設立された。

□□□ **19 ★★** 国際復興開発銀行（IBRD）は「世界銀行」とも呼ばれ、戦後復興や開発途上国のための長期資金の供給を行う。補助機関に国際開発協会（IDA）がある。

□□□ **20 ★★** ブレトン・ウッズ体制では、金 1 オンス =35 ドルとしたうえで、金との交換を保証されたドルが、戦後の基軸通貨（キーカレンシー）とされ、日本における 1 ドル = 360 円をはじめドルと各国通貨との交換比率を固定する固定為替相場制が採用された。

□□□ **21** 1960 年代、アメリカの経済不安（ベトナム戦争などが原因）はドル不安をまねき、アメリカの金保有量が減少、ドルの基軸通貨（キーカレンシー）としての信頼は失われた。

□□□ **22 ★★** 1971 年 8 月にアメリカのニクソン大統領がドルと金の交換停止を宣言したため、各国は変動相場制となり、ブレトン・ウッズ体制は崩壊した。

□□□ **23 ★★** 1971 年 12 月のスミソニアン協定において、ドルの切り下げを行うことによって、固定為替相場制への復帰が図られたが長続きせず、1973 年以降、主要国は変動為替相場制へ移行した。

□□□ **24 ★★** 1976 年のキングストン合意で、変動為替相場制への移行が事後的に認められた。

□□□ **25 ★** 1985 年 9 月、ニューヨークで G5（先進 5 カ国蔵相・中央銀行総裁会議）が開かれ、ドル高是正のために各国がドル売り協調介入を行うプラザ合意が結ばれた。

□□□ **26**　1973 年の**石油危機**（オイル・ショック）への対応を話し合うためにはじまった会議が、先進国首脳会議（通称**サミット**）である。

□□□ **27 ★**　関税の引き下げなどによる貿易の自由化を目的に 1948 年に発効した**GATT** は、その後の 1995 年には発展的に解消し、世界貿易機関（**WTO**）となった。

□□□ **28 ★**　世界貿易機関（**WTO**）の 3 原則は、**自由**・無差別・多角である。

□□□ **29 ★**　世界貿易機関（**WTO**）の 3 原則のうちの「無差別の原則」は、1 国に与えた特権を全加盟国に適用する**最恵国待遇**を指し、多角の原則は、貿易の問題を全加盟国でラウンド交渉によって検討し、公平性を実現しようというものである。

□□□ **30**　1967 年に成立した**ケネディ**・ラウンドでは、すべての工業製品の関税を平均 35％引き下げることが合意された。

□□□ **31**　1979 年に成立した**東京**ラウンドでは、農産物の関税を 41％引き下げることや、関税以外の貿易障壁である非関税障壁を撤廃することが同意された。

□□□ **32 ★★**　1986 ～ 94 年に行われた**ウルグアイ**・ラウンドでは、知的財産権や海外投資についても話し合われた。またGATT に代わって WTO を設立することが合意された。

□□□ **33 ★**　特定商品の輸入が急増して自国内の産業が重大な損害を受ける場合に認められている輸入制限措置を**セーフガード**（緊急輸入制限）といい、WTO でもこれを認めている。

地域経済統合と南北問題

□□□ **34 ★★** 1993 年に<u>マーストリヒト</u>条約が発効され、欧州共同体 (EC) は、より強固な連合の結成を目指す、欧州連合 (EU) に発展した。

□□□ **35 ★★** EU は経済統合を果たすため<u>欧州中央銀行</u>（ECB）を設立し、ユーロ（EU 加盟国で使われる共通通貨）を用いる国々の金融政策を一元的に運営している。ECB の本部はドイツのフランクフルトにある。

□□□ **36 ★** 2009 年に発効され、大統領と外交安保上級代表の新設を盛り込んだ EU の基本条約は<u>リスボン</u>条約である。

□□□ **37** 域内の関税や非関税障壁を撤廃して貿易の自由化を目指すために、1994 年にアメリカ、カナダ、メキシコの 3 カ国間で発効されたのは北米自由貿易協定（<u>NAFTA</u>）である。2020 年 7 月にアメリカ・メキシコ・カナダ協定（USMCA）が発足したことで終了した。

□□□ **38** 1995 年に発足した、ブラジル、アルゼンチン、ウルグアイ、パラグアイの 4 カ国による地域経済統合を南米南部共同市場（<u>メルコスール</u>）と呼ぶ。

□□□ **39** アジア太平洋経済協力会議（APEC）は、アジア太平洋地域全域で自由貿易と経済協力の推進をはかるために 1989 年に創設された。

□□□ **40 ★** 東南アジア地域の地域協力機構を東南アジア諸国連合（ASEAN）といい、1992 年 1 月の ASEAN 首脳会議で合意された自由貿易地域が ASEAN 自由貿易地域（<u>AFTA</u>）である。

□□□ **41 ★** 北半球に多い先進工業国と、低緯度地帯と南半球に多い開発途上国との経済格差を<u>南北</u>問題といい、南側の開発途上国間での経済格差のことを<u>南南</u>問題という。

□□□ **42 ★★** 開発途上国の**モノカルチャー**経済や、垂直的分業（先進国に原材料などの一次産品を安く輸出し、先進国からは高い工業製品を輸入すること）が原因となって南北問題が発生するとされる。

□□□ **43 ★** 1964 年、開発途上国側の要求で南北問題の解決策を探るために国連に設置された機関を**国連貿易開発会議（UNCTAD）**という。

□□□ **44 ★★** 先進国の政府による開発途上国への経済援助を政府開発援助（**ODA**）といい、資金の無償の贈与・有償の借款（しゃっかん）の協力、技術援助などがある。

□□□ **45 ★★** 政府の援助政策の目的や基本方針をまとめた文書を**ODA**大綱（たいこう）という。1992 年の閣議決定では、**環境**と開発の両立・軍事的用途への使用回避・大量破壊兵器等の動向に注意・開発途上国の民主化の促進の 4 原則を掲げている。その後、2003 年に大きく改訂され、2015年に開発協力大綱に改められた。

□□□ **46** 新興工業経済地域の略称を **NIES** といい、アジア諸国で1970 年代に急速な工業化と高い経済成長率を達成した、韓国、シンガポール、台湾、香港の国や地域のことを**アジア NIES** と呼ぶ。

□□□ **47** 1990 年代後半〜 2000 年代後半にかけて、平均年率で10％に迫る経済成長率を維持し続けた中国は、21 世紀の「**世界の工場**」と呼ばれた。

日本のODAの課題の1つは「贈与比率」が低いことです

第二次世界大戦後の日本経済の展開

□□□ **48 ★** 日本の戦後の三大経済民主化政策は、財閥解体、農地改革、労働組合の育成である。

□□□ **49** 農地改革は寄生地主制を廃止して、自作農を生み出すためのものであった。

□□□ **50** 第二次世界大戦後の復興期に実施された傾斜生産方式は、限られた資金、資材、労働力を、石炭・鉄鋼の基幹産業に重点的に投入することで軌道に乗せ、その効果をほかの産業に波及させようとするものである。

□□□ **51 ★** 第二次世界大戦後、アメリカが占領地に対して与えた資金や援助に、疾病や社会不安の防止のためのガリオア資金（占領地域救済政府基金）と、経済復興を目的としたエロア資金（占領地域経済復興資金）がある。

□□□ **52 ★★** GHQが日本経済の安定と自立化を目的として示した経済安定9原則を具体化するために、GHQ経済顧問として来日したドッジの指導に基づいて実施された一連の経済政策のことを、ドッジ・ラインという。

□□□ **53 ★★** 1950年に朝鮮戦争が起こると、朝鮮特需によって日本経済は立ち直り、1951年には鉱工業生産が戦前の水準に回復した。

□□□ **54** 1950年代半ば〜1970年代初めの石油危機（オイル・ショック）による景気後退までの、年平均実質約10%を超える経済成長を遂げた時期を高度経済成長期という。

□□□ **55** 1954〜1957年にかけての、設備投資を中心とした好景気を神武景気と呼ぶ。

□□□ **56 ★** 1955年の日本の経済水準が第二次世界大戦前の水準を回復したことを受け、1956年度の経済白書で「もはや戦後ではない」という言葉が使われた。

□□□ **57 ★** 高度経済成長期前半の日本の家庭における豊かさを象徴する「<u>三種の神器</u>」は、白黒テレビ、電気洗濯機、電気冷蔵庫の３つの家電製品。後半になると、「3C」といわれるカラーテレビ、クーラー、自動車の３つが消費を支えた。

□□□ **58 ★★** 1958 〜 1961 年頃の岩戸景気時代の 1960 年に、池田勇人内閣が今後 10 年間で国民所得を２倍にすると宣言した計画を<u>国民所得倍増計画</u>という。

□□□ **59** 日本の高度経済成長期は、神武景気、岩戸景気、オリンピック景気（1962 〜 1964 年）と続き、1964 〜 65 年の昭和 40 年不況をはさんで、1965 〜 1970 年の<u>いざなぎ</u>景気まで続いた。

□□□ **60** 日本の高度経済成長期には銀行に豊富な資金が存在したため、間接金融による民間の設備投資が活発であった。この間接金融を支えたのは、国民の高い<u>貯蓄</u>率であった。

✅ ひと口コラム

特恵関税は、先進国が開発途上国からの輸入品に関して関税を課さないか、通常よりも低い関税を課す制度です。GATT や WTO の無差別の原則とは相容れませんが、開発途上国の産業を育成し、発展させるための制度として GATT や WTO でも認められています。

合格者のまとめノート

1-05 国際経済と 戦後日本経済の発展

✓ 経済思想史

主義・学派	代表者	内容・著書
重商主義 16〜18世紀 絶対主義時代	トマス・マン	貿易差額主義＝輸出奨励と差額から国富の蓄積を図る 『外国貿易におけるイングランドの財宝』
重農主義 18世紀後半 フランス	ケネー	農業が唯一の富の源泉 『経済表』
古典派経済学 18世紀後半〜 19世紀中頃	アダム・スミス	自由放任主義（レッセ・フェール）、神の見えざる手 『国富論』（諸国民の富）
	リカード	比較生産費説、自由貿易・国際分業を主張 『経済学及び課税の原理』
	マルサス	食料は足し算、人口は掛け算 『人口論』
社会主義学派 マルクス経済学	マルクス	資本主義への科学的批判 『資本論』
	エンゲルス	マルクスとともに資本主義を批判
	レーニン	独占段階の資本主義を帝国主義と位置づけて崩壊の前兆とした 『帝国主義論』
歴史学派	リスト	経済の発達段階説、保護貿易を主張 『国民経済学の体系』
ケインズ学派	ケインズ	国家の介入で有効需要と完全雇用を、ニューディール政策はケインズ理論の先駆例 『雇用・利子及び貨幣の一般理論』

✓ 資本主義の発展

18世紀：産業革命
アダム・スミス

『国富論』

自由放任主義

→ 失業・貧困など格差が拡大

1929年：世界恐慌
ケインズ

『雇用・利子及び
貨幣の一般理論』

修正資本主義

→

1970年代：石油危機

構造改革、新自由主義

背景

17・18世紀
小さな政府
夜警国家
（やけい）
治安と国防のみ

経済に対する
国家の「消極」介入

20世紀
大きな国家
福祉国家
社会保障・失業対策

経済に対する
国家の「積極」介入

権利

自由権
（国家からの自由）
国家が侵害しては
ならない権利

社会権
（国家による自由）
国家が保障しなけれ
ばならない権利
ワイマール憲法
（1919年）／ドイツ

世界恐慌後の「ニューディール政策」
は要チェック！

✓ 戦後国際経済の発展

● 戦後の国際通貨・貿易体制

- <u>ブレトン・ウッズ</u>協定（1944年）　→　IMF・GATT体制
- IMF（国際通貨基金）…ドルを基軸通貨、為替相場の安定、
  貿易自由化、短期資金の融資
- <u>IBRD</u>（国際復興開発銀行＝世界銀行）…経済復興や国土開発を目的に
  長期資金の融資
- IDA（国際開発協会＝第二世界銀行）…最貧国(さいひんこく)へ融資
- GATT（関税及び貿易に関する一般協定）…貿易の自由化と拡大を目指す

● 固定相場制の崩壊

- **ドル危機（1960年代〜）**
  ベトナム戦争の出費、西ヨーロッパや日本の復興と躍進、
  多国籍企業の海外投資
  →各国はドルをアメリカの金と交換（兌換(だかん)）したため、
  アメリカの金保有高は急速に減少（金の国外流出）。
  これにより金の価格は高騰(こうとう)、ドルの価値が下落

- **ドル防衛政策（1971年）**
  <u>ニクソン・ショック</u>、ドルと金の交換一時停止（1971年8月15日）、
  アメリカが固定相場制を放棄
  →<u>スミソニアン</u>協定、固定相場制への再構築を試みる
  → 1973年に変動為替相場制へ移行

- **石油危機（オイル・ショック）（1973年）**
  先進工業諸国が低成長へ、失業増大

- **<u>キングストン</u>合意（1976年）**
  変動相場制が承認される

✓ <u>リカード</u>の比較生産費説

各国で比較的生産効率の良い財に特化して生産し、貿易で交換する

例	毛織物1トン	ワイン1樽	生産量	2国間の合計
ポルトガル	90人	80人	1トン+1樽	毛織物2トン・
イギリス	100人	120人	1トン+1樽	ワイン2樽

↓

ところが、ポルトガルがワイン、イギリスが毛織物に生産を特化すると……

例	毛織物1トン	ワイン1樽	生産量
ポルトガル	0人	170人	170÷80=2.125樽（+0.125）
イギリス	220人	0人	220÷100=2.2トン（+0.2）

→ポルトガルが2.125樽、イギリスが2.2トンとなり
  2国間の合計生産量が増える！

✓ GATTのラウンド交渉

GATTの原則（自由・無差別・多角）

年代	名称	内容
1960年代	<u>ケネディ・ラウンド</u>	関税率の一括引き下げ（工業製品）
1970年代	東京ラウンド	<u>非関税障壁</u>の軽減・撤廃
1980〜90年代	ウルグアイ・ラウンド	農業問題・<u>知的財産権</u>の保護

※ドーハ・ラウンド（2001年〜）はWTO体制の下ではじめて開始された

> 多国間で「輪になって（ラウンド）」
> 交渉すべき、という意味です

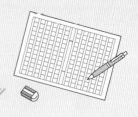

作文・小論文は 時間厳守で8割は書く！

　昨今、人物重視の採用方針を掲げる自治体が多くあり、作文・小論文試験は面接試験と同じように、受験生の人となりを知るための手立てとして重要性が高まっています。中には**教養試験と同程度の高い配点の自治体もあります**から、しっかり準備しておきましょう。つまり、せっかく教養試験に合格したのに作文・小論文で落ちてしまうことだってあるのです。

　作文・小論文試験を突破するために一番大事なことは、**制限時間内に規定の文字数を書き上げる**ことです。文字数は**必ず規定の8割以上は書く**ようにしてください。

　たとえば、あなたが会社の上司だったとして、部下に「この書類を午前11時までに提出して」と指示したにもかかわらず、約束の時間を超えて待てど暮らせど、その部下が書類を提出してこないとしたらどうでしょう。仕事を任せにくいですよね？

　これと同じで、作文・小論文試験を時間内に規定通りに書けるか否かで、**受験生が仕事を任せられる人か否かが判断**されるのです。もし制限時間内に半分も書けなかったとしたら、その作文・小論文は読んでもらえないと思って間違いないでしょう。

　また、**試験官が読みやすい字で書いてください**。わたしが知る試験官の方は、全員の作文・小論文を面接前に読むと話していました。面接前の1週間はほとんど徹夜するそうです。

　そんな試験官の立場になって、**感謝の気持ちを込めて丁寧に書く**ことが大事です。時間が足りなくなって、後半に行くにしたがって殴り書き、なんてことのないようにしたいものです。

>>> # 世界史

世界史では、中国史と西洋史を扱います。表や図を活用して流れを押さえ、正確な知識を身につけましょう。また、「ある地域の出来事を時系列に把握すること」と「他国で同時期に起きた出来事を俯瞰してみること」を意識することも大切です。

2-01 | 中国の主な王朝

中国史では王朝の順番を覚えた上で、それぞれの王朝の支配の仕組みや制度、主な出来事などを理解しましょう。

殷・周・春秋戦国・秦

優先度：★★＞★＞無印

□□□ **1** 　確認できる中国最古の王朝は殷である。殷では祭政一致の神権政治が行われ、甲骨文字が使用された。

□□□ **2 ★** 　殷を倒して華北を支配した王朝は周である。周では血縁を基盤にした封建制が実施された。

□□□ **3** 　春秋時代、有力諸侯は周王室の権威の下で、尊王攘夷を唱え覇権を競った。この時代の代表的な覇者のことを春秋の五覇と呼ぶ。

□□□ **4 ★** 　戦国時代になると周王室の権威は失墜し、戦国の七雄と呼ばれる諸侯が自らを王と称した。

□□□ **5** 　戦国時代は鉄製の農具と牛を使って畑を耕す牛耕農法が普及し、農業生産力が高まった。

□□□ **6 ★★**春秋戦国時代に現れた諸学派の総称が諸子百家である。

□□□ **7 ★★**前221年に中国をはじめて統一したのは秦である。秦の始皇帝は、中央集権の強化のために郡県制を実施した。

□□□ **8 ★** 　秦の始皇帝は、度量衡、文字、貨幣を統一し、思想を統制するために焚書・坑儒を行った。焚書では医薬、農業、占いに関する書物は除外された。

□□□ **9** 　秦の始皇帝は、辺境の防備のために万里の長城を修築した。

□□□ **10 ★★**度重なる外征や土木事業、厳格な法治主義への不満から陳勝・呉広の乱が起こり、これが口火となって前206年に秦は滅んだ。

□□□ **11**　秦末の動乱の中、農民出身の劉邦と貴族出身の項羽が最後まで覇を争った。項羽は垓下の戦いで劉邦に敗れ自決した。

□□□ **12 ★**　劉邦は前 202 年、長安に都を置いて前漢を建て、高祖となった。

□□□ **13 ★★**　高祖は中央付近には郡県制を、辺境の地には封建制を用いる郡国制を実施した。

□□□ **14 ★★**　前 154 年、諸侯が呉楚七国の乱を起こしたが鎮圧され、これ以後は中央集権化を強め、実質的に郡県制へと移行した。

□□□ **15 ★★**　前漢は第 7 代武帝の治世に最大版図となった。武帝は推薦制の郷挙里選を官吏登用法とし、董仲舒を用いて儒学の国教化を行った。

□□□ **16 ★**　武帝は外征によって枯渇した国家財政を再建するための一環として、物価の安定と統制を図る均輸法と平準法を実施した。

□□□ **17**　武帝は匈奴を挟撃するために前 139 年に張騫を大月氏国に派遣した。これにより西域の情報が伝播し、シルク・ロードによる交易の基盤ができた。

□□□ **18**　武帝の死後は宦官や外戚が宮廷内の実権を掌握、皇帝の権力は失墜した。後 8 年、外戚の王莽が前漢を倒して新を建てた。

□□□ **19 ★★**　王莽は周の政治を理想とし、豪族たちの反発をまねいた。農民反乱の赤眉の乱をきっかけに国内は混乱、23 年に新は滅びた。

□□□ **20**　劉秀は 25 年に漢（後漢）を再興し、光武帝として即位した。光武帝は都を洛陽に置き、赤眉の乱を平定した。

□□□ **21** 光武帝は<u>倭</u>国の使者に金印「<u>漢 委奴国 王 印</u>」を与えた。

□□□ **22** 166 年、<u>大秦王安敦</u>（ローマの五賢帝の一人、マルクス・アウレリウス・アントニヌス）の使者が後漢統治下の日南郡（現在のベトナム中部）に来たといわれる。

□□□ **23** 前漢の<u>司馬遷</u>が『史記』を、後漢の班固が『漢書』をそれぞれ紀伝体で著した。

□□□ **24** 後漢の宮廷に仕える宦官の<u>蔡倫</u>は、製紙法を改良して和帝に紙を献上したとされる。この製紙法は 751 年のタラス河畔の戦いでイスラーム世界に伝わった。

□□□ **25 ★★** 後漢末期の 184 年、宗教結社・太平道の 張 角が扇動する農民反乱である<u>黄巾</u>の乱が勃発。群雄割拠の中、後漢は 220 年に滅亡した。

『史記』と『漢書』は後世の歴史書の
模範となりました

魏晋南北朝

□□□ **26 ★★** 後漢に代わり、華北の魏、江南の呉、四川の蜀が分立する<u>三国</u>時代となった。

□□□ **27 ★★** 263 年に魏は蜀を滅ぼしたが、265 年に魏の将軍であった<u>司馬炎</u>が王座を奪って西晋を建てた。西晋は 280 年に呉を滅ぼして中国を統一した。

□□□ **28 ★** 西晋は台頭してきた匈奴に攻略されて 316 年に滅びたが、<u>司馬睿</u>が江南に逃れ、317 年に晋（東晋）を再興した。

□□□ **29 ★** 西晋の南走後、華北では匈奴や鮮卑などの非漢族の五胡が各地に政権を樹立したため、<u>五胡十六国</u>時代と呼ばれる。

□□□ **30**★ 439 年、北魏の太武帝が華北を統一した。北魏以降の 5 王朝を北朝、東晋滅亡後の宋以降の 4 王朝を南朝といい、南北朝分裂期は 1 世紀半にわたり続いた。

□□□ **31**★ 220 年の後漢の滅亡から、589 年の隋による中国統一までの約 370 年間を魏晋南北朝時代という。この時代を通じて採られた官吏登用制度は九品中正である。

隋・唐・五代十国・宋

□□□ **32** 北周の外戚であった楊堅が、581 年に文帝と称し国号を隋とした。文帝は 589 年に南朝の陳を滅ぼして中国を統一した。

□□□ **33**★★ 文帝は北魏の土地制度である均田制を、西魏の兵制である府兵制を継承、税制としては租庸調制を確立した。

□□□ **34**★★ 文帝は門閥貴族による世襲を打破するために、九品中正を廃止し科挙を実施した。

□□□ **35** 隋の第 2 代皇帝の煬帝は大運河を完成させ、周辺民族に対しては積極策をとった。しかし、高句麗遠征に失敗し、各地で反乱が起きる中、煬帝は殺害されて隋は滅亡した。

□□□ **36** 隋末の混乱の中、李淵が 618 年に唐を建国し、高祖となって都を長安に定めた。

□□□ **37**★★ 李世民は第 2 代太宗となって 628 年に中国を統一した。太宗は貞観の治と呼ばれる善政を敷いた。

□□□ **38**★ 第 6 代玄宗は、その治世の前半は開元の治と呼ばれる善政を敷いたが、治世の後半は楊貴妃を寵愛して政務を怠り、安史の乱をまねいた。

□□□ **39**★ 875 年に起きた黄巣の乱によって唐は衰え、907 年に朱全忠により滅ぼされた。

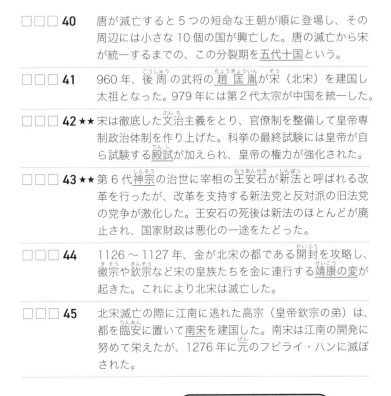

□□□ **40** 唐が滅亡すると5つの短命な王朝が順に登場し、その周辺には小さな10個の国が興亡した。唐の滅亡から宋が統一するまでの、この分裂期を<u>五代十国</u>という。

□□□ **41** 960年、後周 の武将の<u>趙 匡 胤</u>が宋（北宋）を建国し太祖となった。979年には第2代太宗が中国を統一した。

□□□ **42 ★★** 宋は徹底した文治主義をとり、官僚制を整備して皇帝専制政治体制を作り上げた。科挙の最終試験には皇帝が自ら試験する殿試が加えられ、皇帝の権力が強化された。

□□□ **43 ★★** 第6代神宗の治世に宰相の王安石が新法と呼ばれる改革を行ったが、改革を支持する新法党と反対派の旧法党の党争が激化した。王安石の死後は新法のほとんどが廃止され、国家財政は悪化の一途をたどった。

□□□ **44** 1126〜1127年、金が北宋の都である開封を攻略し、徽宗や欽宗など宋の皇族たちを金に連行する<u>靖康の変</u>が起きた。これにより北宋は滅亡した。

□□□ **45** 北宋滅亡の際に江南に逃れた高宗（皇帝欽宗の弟）は、都を臨安に置いて<u>南宋</u>を建国した。南宋は江南の開発に努めて栄えたが、1276年に元のフビライ・ハンに滅ぼされた。

官僚の俸給と和平金の増大から北宋は改革が必要となりました

大モンゴル国と元・明

□□□ **46** ★ テムジンは 1206 年のクリルタイ（集会）でハンに選ばれ、チンギス・ハンと称し、大モンゴル国（モンゴル帝国）を建国した。

□□□ **47** ★ 第 2 代オゴタイは 1234 年に金を滅ぼし、その後首都カラコルムを建設、駅伝制（ジャムチ）の整備などを行い大モンゴル国の基礎を築いた。1236 年からはバトゥを西方遠征に派遣している。

□□□ **48** ★★ 第 5 代フビライは大都（現在の北京）に遷都し、1271 年に国号を元とした。1276 年には南宋を滅ぼして中国統一を完成した。

□□□ **49** ヴェネツィア商人のマルコ・ポーロは、大都に至りフビライに仕え、帰国後『世界の記述（東方見聞録）』を口述した。

□□□ **50** ★ 元末の紅巾の乱に参加した朱元璋 は、次第に頭角を現し 1368 年に金 陵（現在の南京）に都を定め、明を建国して初代皇帝の洪武帝となった。

□□□ **51** ★★ 洪武帝は中 書 省 を廃して六部を皇帝直属にするなど、皇帝独裁体制を作り上げた。1381 年には農村を統治するために里甲制を施行、戸籍・租税台帳の賦役黄冊と土地台帳の魚鱗図冊を作成し、儒教に基づく六諭を示して農民支配を確かなものとした。

□□□ **52** ★★ 第 3 代永楽帝はイスラーム教徒の宦官鄭和に南海諸国遠征を命じた。その結果、朝 貢貿易が盛んになった。

□□□ **53** ★ 銀の流通に伴って明代後半から実施された、土地税と人頭税を一括して銀納する税制を一 条 鞭法という。

□□□ **54** 永楽帝の死後、北虜南倭と呼ばれる北方からのモンゴル諸部族の侵入と南の海岸地方を脅かす倭寇の活動により、明の国力は衰退していった。

□□□ **55** 1644年、農民反乱の指導者である<u>李自成</u>が北京を攻略し、明は滅んだ。

清

□□□ **56** 全女真の統一に成功した<u>ヌルハチ</u>は、1616年に後金を建国した。

□□□ **57★** 第2代<u>ホンタイジ</u>は、1635年に内モンゴルを制圧、1636年、後金を改めて国号を清とし、1637年には李氏朝鮮を属国とした。

□□□ **58** 1644年に明が李自成の乱で滅んだ後に、第3代順治帝は山海関から中国本土に入り李自成の乱を平定、中国全土の支配を進めていった。

□□□ **59★** 第4代康熙帝は<u>三藩</u>の乱（1673〜1681年）を平定して漢人武将の勢力を抑え、1683年には台湾の鄭氏を平定して清の中国統一を達成した。

□□□ **60★★** 1689年、康熙帝はロシアのピョートル1世と国境画定条約である<u>ネルチンスク</u>条約を締結、ロシアの南下を防いだ。

□□□ **61** 第5代雍正帝は、1727年にロシアと<u>キャフタ</u>条約を締結、モンゴル地区の国境を画定した。

□□□ **62★★** 康熙帝によりはじめられ、雍正帝の時代に全国で実施された税制を<u>地丁銀制</u>という。

□□□ **63** 清朝では官吏登用試験に科挙を継承し、中央官庁の高官は<u>満漢併用制</u>によって満州人と漢人を同数任命した。

□□□ **64** 清朝は漢民族に対して文字の獄や禁書などの思想統制を行い、<u>辮髪</u>令を発布して満州人の習俗であった髪型を服従の証明として強要した。

□□□ **65 ★** 乾隆帝は、1757年に海外貿易を広州1港に限定して、公行という特許商人との間でのみ許可した。

□□□ **66** 清朝の最盛期は、第4代康熙帝、第5代雍正帝、第6代乾隆帝の三代である。

> はじめて中国が外国と対等な形式で結んだのが「ネルチンスク条約」です

列強の侵略・辛亥革命と清朝の滅亡

□□□ **67 ★★** 乾隆帝の末期になると、官僚の腐敗や貧富の格差により各地で反乱が勃発した。1796年には白蓮教徒の乱が起きたが、清朝正規軍の八旗・緑営に代わって義勇軍の郷勇が活躍し、清朝の弱体ぶりを露呈した。

□□□ **68 ★** イギリスは銀の国外流出を防ぐために、インドでアヘンを栽培させ、インド産のアヘンを中国へ、中国の茶をイギリス本国へ、イギリス本国の綿製品をインドへ輸出する三角貿易で利益を上げるようになった。

□□□ **69 ★** アヘンの害が広がり、大量の銀が流出したことから道光帝は欽差大臣に林則徐を任命し広東（広州）に派遣した。林則徐による厳しい取り締まりに対し、イギリスは武力で自由貿易を実現させようと、アヘン戦争（1840〜1842年）を起こした。

□□□ **70 ★★** アヘン戦争で清朝はイギリスに敗北し、1842年8月に、香港の割譲、上海や広州など5港の開港、公行の廃止、賠償金の支払いなどを定めた南京条約が調印された。

□□□ **71 ★★** 1851 年にキリスト教的宗教結社・拝上帝会を率いて洪秀全が挙兵。「滅満興漢」をスローガンに太平天国の乱を起こした。太平天国は、南京を攻略、天京と改称し首都としたが、郷勇と外国勢の常勝軍によって鎮定された。

□□□ **72** 1856 年、清国内における市場の一層の拡大を求めて、イギリスはアロー号事件を、フランスはフランス人宣教師殺害事件を口実にして清朝に宣戦し、アロー戦争を起こした。

□□□ **73 ★★** 1858 年にイギリス・フランスの連合軍は広州・天津を占領し、天津条約を結んだが、清朝の反撃を受けた連合軍は戦争を再開。北京を占領して、天津の開港、九竜半島南端の市街地のイギリスへの割譲などを定めた北京条約を結んだ。

□□□ **74 ★** 1894 年、朝鮮半島で甲午農民戦争（東学党の乱）が勃発した。日本と清は反乱を防止するために出兵して日清戦争に発展し、1895 年に清は敗れた。

□□□ **75 ★** 日清戦争の結果、日本全権・伊藤博文と清朝全権・李鴻章の間で、台湾・澎湖諸島・遼東半島の日本への割譲・朝鮮の独立承認などを定めた下関条約が結ばれたが、ロシア・ドイツ・フランスの三国干渉で、遼東半島を清に返還した。

□□□ **76 ★★** 1900 年、義和団が「扶清滅洋」をスローガンに起こした排外運動を義和団事件と呼ぶ。清朝は義和団を支持し列強に宣戦布告したが、日本とロシアを中心とする 8 カ国連合が北京を占領。1901 年、北京議定書が結ばれ、列強による中国分割が進んだ。

□□□ **77 ★** 中国国内では清朝打倒の革命運動が増大した。1905 年、孫文は革命諸団体を東京で結集して中国同盟会を設立した。孫文は革命の理念として、民族の独立・民権の伸長・民生の安定の三民主義を訴えた。

□□□ **78**　1911 年 10 月の武昌蜂起がきっかけとなり辛亥革命が起こった。1912 年 1 月には孫文を臨時大総統とする中華民国の建国を宣言し、1912 年 2 月に清朝は滅亡した。

✅ ひと口コラム

孔子は人の生きる規範を「道」と呼び、その道を「仁」と「礼」に分けました。「仁」は人間愛のことで、「礼」は礼儀や社会規範のことです。この考えを継承したのが「仁」を重視して性善説を唱えた孟子と、「礼」を重視して性悪説を唱えた荀子というわけです。

合格者のまとめノート

2-01 中国の主な王朝

✓ 諸子百家

・儒家（<u>孔子</u>）：人間の守るべき規範 ＝「道」

        ↗「仁」人間愛　　→ 孟子「<u>性善説</u>」王道政治

「道」

        ↘「礼」社会規範　→ 荀子「<u>性悪説</u>」礼治主義→法家（<u>韓非子</u>）法治主義

・道家（<u>老子</u>）：宇宙生成の根源 ＝「道」（タオ）
  → 上善如水、小国寡民

・墨家（墨子）：兼愛、<u>非攻</u>

✓ 地方行政制度

・**封建制**（血縁）：諸侯に土地を与え統治させる
  →　諸侯に自治を認めることで不満を抑え反乱を防ぐ

↓

・**郡県制**（中央集権）：中央から役人を派遣し直接統治（諸侯から自治権剥奪）
  →　諸侯の反乱勃発

↓

・<u>郡国制</u>：2つの長所を合わせたもの
        中央から近いところは「郡県制」
        辺境は「封建制」
・→　近ければ反乱が起きても
    すぐに対処できるから
    郡県制で厳しく統治。
    遠いとすぐ対処できないので
    封建制で甘く統治。

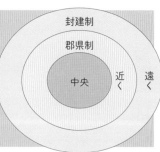

✓ 税制の流れ

租調庸制 （北魏・唐）	→	両税法 （唐代中期）	→	一条鞭法 （明代後期）	→	地丁銀制 （清）
均田制に基づく		夏・秋2回の徴税		銀換算で一本化		土地税に一本化

✓ 官吏登用制度の流れ

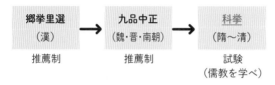

郷挙里選 （漢）	→	九品中正 （魏・晋・南朝）	→	科挙 （隋～清）
推薦制		推薦制		試験 （儒教を学べ）

✓ 主な反乱とキーワード

陳勝・呉広の乱	秦末／農民反乱
呉楚七国の乱	前漢の中央集権体制が強化された
赤眉の乱	新末／農民反乱／劉秀（光武帝）が鎮圧
黄巾の乱	後漢末／農民反乱／太平道の張角
安史の乱	玄宗皇帝後期に節度使が起こした／唐の弱体化
黄巣の乱	唐末／農民反乱／唐の滅亡が早まる
紅巾の乱	元末／白蓮教系／農民反乱
李自成の乱	農民反乱／明が滅亡
白蓮教徒の乱	白蓮教系／農民反乱／郷勇の活躍／清の弱体化
太平天国の乱	キリスト教系／農民反乱／洪秀全の拝上帝会／清の弱体化
義和団の乱	白蓮教系／農民反乱／清の滅亡が早まる

※国が弱体化すると反乱が起こり新しい国が興る

> 反乱に関してはよく問われるので
> しっかり覚えよう！

✔ 清とロシアの国境画定条約

条約名	年	主な内容
<u>ネルチンスク</u>条約	1689年	ピョートル1世と康熙帝 アルグン川と外興安嶺（スタノヴォイ山脈）を国境と定めた ※外国とはじめて対等な形式で結んだ条約
<u>キャフタ</u>条約	1727年	モンゴル地区における国境画定
アイグン条約	1858年	ロシアがアロー戦争を利用して清に圧力 黒竜江左岸はロシア領 ウスリー川以東は共同管理地に ※侵略のはじまり
北京条約	1860年	ウスリー川以東はロシア領
イリ条約	1881年	清はイリ地区の大半を取り戻し、ロシアは通商上の特権を獲得

✔ 三角貿易

イギリスが清に払った銀の回収のためにイギリス・清・インド間で行った貿易。

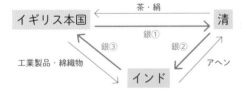

※清がアヘンを買うとイギリスが清に払った銀は銀①→銀②→銀③とイギリスにかえってくる！

イギリスは当初中国から茶や絹を輸入し、銀で代金を支払っていたため、貿易赤字でした

✔ 主な王朝の流れ

殷→周→秦→前漢→新→後漢→三国→南北朝→隋→
唐→五代十国→宋→元→明→清

✔ 主な王朝とキーワード

時代	キーワード
殷	祭政一致の神権政治、甲骨文字
周	氏族的性格、封建制度
春秋戦国	「春秋の五覇」「戦国の七雄」など有力諸侯、諸子百家
秦	始皇帝が中国統一、郡県制、法家を採用、焚書・坑儒で思想統制、半両銭、度量衡・文字の統一、万里の長城、陳勝呉広の乱
前漢	郡国制→7代武帝の時に郡県制、儒学の官学化、郷挙里選、均輸法・平準法
新	周への復古政治、赤眉の乱
後漢	光武帝が漢を再興、黄巾の乱
三国	魏・呉・蜀
南北朝	北魏（均田制）、南朝（九品中正）
隋	文帝が南北統一、均田制、府兵制、科挙 煬帝：大運河、高句麗遠征失敗
唐	李世民の貞観の治、均田制、三省六部、府兵制→募兵制、科挙、玄宗の時代に両税法、安史の乱、黄巣の乱
五代十国	華北の5王朝、地方の10あまりの国、武断政治
北宋	趙匡胤が建国、科挙（殿試）、文治主義、王安石の新法
南宋	江南で諸産業の発達
元	チンギス・ハンが大モンゴル国（モンゴル帝国）建国、フビライが大都に遷都して元に改める、駅伝制、紅巾の乱
明	朱元璋（洪武帝）が建国、里甲制、賦役黄冊・魚鱗図冊、六諭、一条鞭法、李自成の乱
清	ヌルハチ（後金建国）、ホンタイジ（清に改号）、満漢併用制、辮髪、文字の獄、地丁銀

2-02 十字軍とヨーロッパ近代史

十字軍による東方との交流を通じてルネサンス・大航海時代・宗教改革が起こり、中央集権国家になった流れを把握しましょう。

十字軍と中央集権国家の成立

優先度：★★＞★＞無印

□□□ **1** 十字軍は西ヨーロッパのキリスト教勢力が、イスラーム勢力から聖地<u>イェルサレム</u>を奪回するために起こした軍事遠征のことである。

□□□ **2** ビザンツ皇帝の救援要請を受けたローマ教皇ウルバヌス2世は、<u>クレルモン</u>宗教会議（1095年）で聖地奪回を提唱し、十字軍派遣が決定された。

□□□ **3** ★★第<u>1</u>回十字軍(1096～1099年)は、聖地を奪回し、イェルサレム王国を建てた。

□□□ **4** ★★第<u>4</u>回十字軍（1202～1204年）は、商圏拡大をもくろむヴェネツィア商人たちが主導し、ビザンツ帝国のコンスタンティノープルを占領し、ラテン帝国を建てた。

□□□ **5** ★ 約200年にわたる計7回の十字軍の遠征で、当初の目的である聖地の奪回は達成できなかった。十字軍の失敗により、<u>教皇</u>権や騎士階層は衰退し、王権は伸長した。

□□□ **6** ★ 十字軍により東方貿易が盛んになり、<u>北イタリア</u>の諸都市が栄えた。文化面ではイスラーム文化とビザンツ文化の影響を受けて、ルネサンスが生まれるきっかけとなった。

□□□ **7** ★★1215年、ジョン王（イギリス）の悪政に対し、封建諸侯と都市代表は団結して<u>大憲章</u>（マグナ・カルタ）を認めさせた。主な内容は、国王の<u>徴税</u>権の制限、教会の自由、都市の自由、不当な逮捕の禁止などで、イギリス憲法のはじめとなるものであった。

☐☐☐ **8** フランスのフィリップ4世は聖職者課税問題で教皇と対立し、1302年に聖職者・貴族・平民の代表からなる三部会を開き、その支持を得て王権を強化した。

☐☐☐ **9 ★** イギリスとフランスはフランドル地方（毛織物業）とギエンヌ地方（ワイン）の争奪戦に加えて、王位継承権を巡って対立し、1339年に百年戦争がはじまった。

☐☐☐ **10** 百年戦争は当初イギリスが優勢であったが、ペストの流行や農民反乱により互いに疲弊し、ジャンヌ・ダルクがオルレアンの囲みを破ってからはフランスが優勢となり、1453年にフランスが最終的に勝利した。イギリスはカレーを残して大陸から撤退している。

☐☐☐ **11** 百年戦争の後、イギリスではランカスター、ヨーク両家の間で王位を争うバラ戦争（1455〜1485年）が起こった。1485年にヘンリ7世がテューダー朝を開いて混乱を収め、王権を強化した。

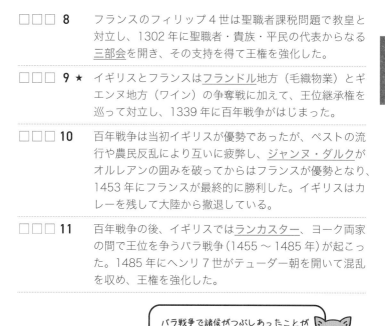

バラ戦争で諸侯がつぶしあったことが王権の強化につながりました

ルネサンスと大航海時代

☐☐☐ **12 ★★** ルネサンスは14世紀のイタリアではじまり、15世紀以降に西欧各地に広まった文化運動のことで、「再生」を意味する。教会中心の世界観から人間中心の世界観への転換が試みられ、その手本となったのは古代ギリシャやローマの文化であった。

☐☐☐ **13 ★★** 14〜16世紀初め、イタリア・ルネサンスの中心は、大富豪であるメディチ家の保護を受けたフィレンツェ（東方貿易・毛織物業・金融業で栄えた）であった。

□□□ **14 ★★** 14世紀にイタリアのフィレンツェで、イタリア・ルネサンスの先駆者ダンテが『神曲(しんきょく)』を、ペトラルカが『叙情詩集』を、ボッカチオが『デカメロン』を著し、まず文芸の分野でルネサンスがはじまった。

□□□ **15 ★** 15世紀後半〜16世紀はイタリア・ルネサンスの最盛期で、美術の分野では、レオナルド・ダ・ヴィンチが『モナリザ』や『最後の晩餐(ばんさん)』を、ミケランジェロが『最後の審判』や『ダヴィデ』を、ラファエロが数多くの聖母子像や『アテネの学堂』を描いた。

□□□ **16 ★** ルネサンスにおける政治学の分野では、近代政治学の祖とされるマキャヴェリが『君主論』を著し、イタリア統一の必要性を説いた。

□□□ **17** ルネサンスの三大発明は、火薬・羅針盤・活版印刷(かっぱん)だが、正しくは宋代の中国で生まれた技術の改良版である。

□□□ **18 ★** ルネサンスでは天文学も発展した。コペルニクス（ポーランド）はそれまでの天動説ではなく地動説を主張し、ガリレオ（イタリア）は自作の望遠鏡で天体観測をして地動説が正しいことを主張した。

□□□ **19** ルネサンスは西欧各地に広がり、ネーデルラントのエラスムスは『愚神礼賛(ぐしんらいさん)』を、イギリスのトマス・モアは『ユートピア』を著した。

□□□ **20** イギリスの劇作家のシェークスピアは、4大悲劇『ハムレット』『リア王』『マクベス』『オセロー』のほかにも『ヴェニスの商人』など多数の作品を著した。

□□□ **21** 15世紀になるとオスマン帝国が地中海東岸を占領して東方貿易路を支配したため、東南アジア産の香辛料の価格が上がり、新航路開拓の欲求が高まっていった。

□□□ **22 ★** ポルトガルの軍人・航海者の<u>ヴァスコ・ダ・ガマ</u>は、リスボンを出発し、喜望峰を経由してアフリカ東岸からインド西岸のカリカットに到着して、インド航路の開拓に成功した。

□□□ **23** フィレンツェ出身の地理学者<u>トスカネリ</u>は、地球球体説を主張し、西航すればインドに到達すると説いた。

□□□ **24 ★** 地球球体説を信じたコロンブスは、スペイン女王<u>イサベル</u>の支援を受けて 1492 年 8 月にパロス港を西に出発し、約 2 カ月半後に現在のバハマ諸島に到達し、サンサルバドル島と命名した。

□□□ **25 ★** 1522 年、ポルトガルの航海者<u>マゼラン</u>の艦隊が、スペインのカルロス 1 世の命を受けて世界初の世界周航に成功したが、彼自身はフィリピン諸島セブ島で、1521 年に殺害された。

「活版印刷術」の実用化が情報の普及に拍車をかけました

宗教改革

□□□ **26 ★★** ローマ教皇レオ 10 世は、<u>サン・ピエトロ大聖堂</u>の改修費用を捻出するために、贖宥状（免罪符）を販売した。

□□□ **27 ★★** 1517 年、ルターは贖宥状の販売を批判して「<u>九十五カ条の論題</u>」をヴィッテンベルク教会の扉に掲げた。

□□□ **28** ルターは 1520 年に『<u>キリスト者の自由</u>』を著し、「福音主義」「信仰義認説」「万人祭司主義」をわかりやすく説いた。

□□□ **29** 1521 年、カール 5 世は<u>ヴォルムス</u>帝国議会にルターを召喚して、自説を撤回するよう求めた。ルターがこれを拒否したため、ルターは神聖ローマ帝国から追放され、ルター派の信仰も禁止された。

□□□ **30 ★★** ルターはザクセン選帝侯フリードリヒの保護の下で、『<u>新約聖書</u>』をドイツ語に翻訳した。

□□□ **31 ★** ルターの宗教改革を支持したミュンツァーが起こした農民反乱を、<u>ドイツ農民戦争（1524 ～ 25 年）</u>と呼ぶ。ルターは当初農民たちに同情的だったが、反乱が急進化するとその弾圧を呼び掛けた。

□□□ **32 ★** ルター派を容認することで国内を団結させ、オスマン帝国による第 1 次ウィーン包囲（1529 年）を退けたカール 5 世は、危機が去ると再びルター派を禁止した。これに「抗議する者」という意味で、ルター派は<u>プロテスタント</u>と呼ばれるようになった。

□□□ **33 ★★** <u>アウクスブルク</u>の和議（1555 年）でルター派は公認され、諸侯はカトリック派かルター派かの選択権が認められたが、個人の信仰の自由は認められなかった。

□□□ **34 ★★** カルヴァンはスイスで『キリスト教綱要』を著し、神の救済はあらかじめ神によって定められているという、<u>予定説</u>を唱えて勤労と蓄財を奨励した。そのためカルヴァン派は新興の商工業者に支持された。

□□□ **35** カルヴァン派は、イングランドではピューリタン、フランスでは<u>ユグノー</u>、ネーデルラントではゴイセンと呼ばれた。

□□□ **36 ★** イギリスではヘンリ 8 世が、離婚問題からローマ教皇と対立し、1534 年に<u>国王至上法</u>（首長法）を発布し、イギリス国教会を設立した。

□□□ **37** スペイン皇太子のフェリペ2世と結婚した<u>メアリ1世</u>は、イギリスにカトリックを復活させて新教徒を弾圧した。

□□□ **38**★★ 1559年にエリザベス1世は<u>統一</u>法を制定し、イギリス国教会の体制を確立した。

□□□ **39** 宗教改革に対するカトリック側の改革運動を<u>対抗宗教改革</u>（反宗教改革）と呼ぶ。

□□□ **40** 1534年にイエズス会が<u>イグナティウス・ロヨラ</u>やフランシスコ・ザビエルによって結成され、インドや東アジア、ラテンアメリカで大規模な布教活動を行った。ザビエルは1549年、日本にはじめてキリスト教を伝えている。

カトリック側は海外伝道を目的とするイエズス会を創設しました

絶対王政

□□□ **41** 16～18世紀のヨーロッパで展開された、絶対的な権力を持つ国王の下で国の政策が決定される体制を<u>絶対王政</u>と呼ぶ。

□□□ **42**★ <u>絶対王政</u>を支える制度的な基盤は官僚制と常備軍で、この2つの財源を確保するための経済的基盤が<u>重商主義</u>であった。

□□□ **43**★★ スペインのフェリペ2世は南米から得た豊かな銀を財政にして、スペイン絶対王政の最盛期を迎えた。1571年には<u>レパント</u>の海戦でオスマン帝国を破り、1580年にはポルトガルを併合し「太陽の沈まぬ国」と呼ばれた。

□□□ **44 ★** オランダはスペインからの独立戦争を戦い、1581年に
ネーデルラント連邦共和国として独立を宣言した。
1602年には<u>オランダ東インド</u>会社を設立して、アジア
の香辛料貿易を独占した。

□□□ **45** イギリスでは、15世紀にヘンリ7世が<u>テューダー</u>朝を
開き、イギリス絶対王政を確立した。

□□□ **46 ★★** イギリスの絶対王政は、エリザベス1世の時代に最盛
期を迎えた。1588年にはスペインの<u>無敵艦隊</u>（アルマ
ダ）を破り、1600年にはイギリス東インド会社を設立
してアジア進出を開始した。

□□□ **47 ★** ルイ13世の宰相のリシュリューは、フランス王権の
強化に努め、三十年戦争は新教徒側で参戦した。

□□□ **48 ★★** ルイ14世は「太陽王」と呼ばれ、フランスの絶対王政
を確立した。神学者の<u>ボシュエ</u>は、王権神授説の理論を
確立して絶対王政を支え、財務総監のコルベールは、<u>重
商主義政策</u>を採ってフランスの財政再建を目指した。

□□□ **49** ルイ14世は「朕は国家なり」という言葉を残したとさ
れる。17世紀後半には絶対王政の象徴的な建造物であ
る<u>ヴェルサイユ</u>宮殿がパリ郊外に建設された。

□□□ **50** プロイセンの<u>フリードリヒ2世</u>やロシアのエカチェリー
ナ2世などは、啓蒙専制君主と呼ばれる。

✓ひと口コラム

予定説で知られるカルヴァンは、さらに職業は神から与えられ
たものであり、それに励むことが人間の使命であるという職業
召命観を説きました。そこから得られた利潤を神からのプレゼ
ントとして肯定した点が、当時の商人たちに受け入れられてい
きます。

合格者のまとめノート

2-02 十字軍と ヨーロッパ近代史

✓ 十字軍

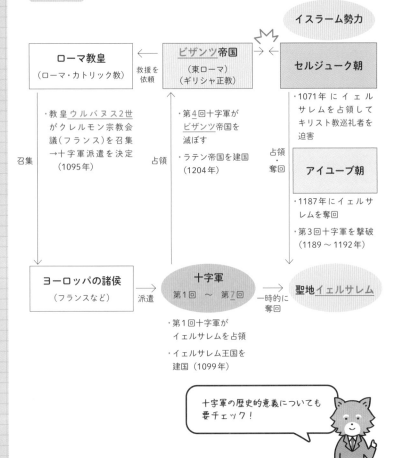

イスラーム勢力

| ローマ教皇 | ← | ビザンツ帝国 | → ← | セルジューク朝 |

ローマ教皇
（ローマ・カトリック教）

ビザンツ帝国
（東ローマ）
（ギリシャ正教）

セルジューク朝

救援を依頼

・1071年にイェルサレムを占領してキリスト教巡礼者を迫害

・教皇ウルバヌス2世がクレルモン宗教会議（フランス）を召集
→十字軍派遣を決定
（1095年）

・第4回十字軍がビザンツ帝国を滅ぼす

・ラテン帝国を建国
（1204年）

召集

占領

占領・奪回

アイユーブ朝

・1187年にイェルサレムを奪回

・第3回十字軍を撃破
（1189～1192年）

ヨーロッパの諸侯
（フランスなど）

派遣

十字軍
第1回　～　第7回

・第1回十字軍がイェルサレムを占領

・イェルサレム王国を建国（1099年）

一時的に奪回

聖地イェルサレム

十字軍の歴史的意義についても要チェック！

96

✓ 宗教戦争

- <u>オランダ独立戦争</u>（1568 ～ 1609 年）　ネーデルラント
  スペインの重税と新教徒弾圧にネーデルラントの市民が反発
  イギリスが援助
  北部 7 州が独立宣言（1581 年）
  国際的に独立承認（1648 年）

- <u>ユグノー戦争</u>（1562 ～ 1598 年）　フランス

旧教徒 スペインが援助	→ ←	ユグノー（新教徒） イギリス・ドイツが援助

→<u>ナントの勅令</u>で終結（1598 年）

- <u>三十年戦争</u>（1618 ～ 1648 年）　ドイツ

旧教徒 スペイン・オーストリアが 援助	→ ←	新教徒 イギリス・オランダ・フランスが 援助

→<u>ウェストファリア条約</u>で終結（1648 年）

✓ 絶対主義

時代	国	人物	概要
16世紀	スペイン	フェリペ2世	太陽の沈まぬ国
16 ～ 17世紀	イギリス	<u>エリザベス1世</u>	よき女王ベス
17 ～ 18世紀	フランス	<u>ルイ14世</u>	「朕は国家なり」
18世紀	プロイセン	フリードリヒ2世	啓蒙絶対主義
	ロシア	エカチェリーナ2世	

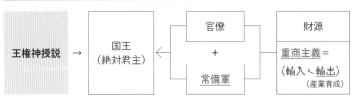

✓ 西洋の文学

● ルネサンス

・**イタリア**
ダンテ『神曲』/ ボッカチオ『デカメロン』

・**スペイン**
セルバンテス『ドン・キホーテ』

・**イギリス**
シェークスピア『ハムレット』『リア王』『マクベス』『オセロ』
『ロミオとジュリエット』『ベニスの商人』

● 17 〜 18 世紀

・**フランス**
モリエール『人間嫌い』

・**イギリス**
ミルトン『失楽園』/ デフォー『ロビンソン・クルーソー』/
スウィフト『ガリバー旅行記』

● 19 世紀

・**フランス**
ユーゴー『レ・ミゼラブル』/ スタンダール『赤と黒』/
バルザック『人間喜劇』/ フローベール『ボヴァリー夫人』/
ゾラ『居酒屋』/ モーパッサン『女の一生』

・**ドイツ**
ゲーテ『ファウスト』

・**イギリス**
ディケンズ『二都物語』『オリバー・トゥイスト』『クリスマス・キャロル』/
エミリー・ブロンテ『嵐が丘』

・**ロシア**
チェーホフ『桜の園』/ ツルゲーネフ『初恋』/
トルストイ『戦争と平和』『アンナ・カレーニナ』/
ドストエフスキー『罪と罰』『カラマーゾフの兄弟』

●20世紀

・**フランス**
　プルースト『失われた時を求めて』/ サン・テグジュペリ『星の王子さま』/
　カミュ『ペスト』

・**ドイツ**
　マン『魔の山』/ ヘッセ『車輪の下』/ レマルク『西部戦線異状なし』/
　カフカ『変身』

・**イギリス**
　ジョイス『ユリシーズ』/ ロレンス『チャタレイ夫人の恋人』

・**ロシア**
　ゴーリキー『どん底』/ ショーロホフ『静かなドン』

・**アメリカ**
　ヘミングウェイ『武器よさらば』『老人と海』/
　フィッツジェラルド『グレート・ギャツビー』/
　スタインベック『怒りの葡萄』/ パール・バック『大地』

> 「作者とその作品」に関することが
> 問われやすいので一緒に覚えよう!

2-03 | 市民革命と産業革命

欧米諸国が、絶対王政から市民革命によって近代国家となっていく
流れを、産業革命とともに把握していきます。

イギリス革命

優先度：★★＞★＞無印

□□□ **1** イギリスのジェームズ1世は王権神授説を信奉し、イギリスの伝統を無視した専制政治を行った。さらに、イギリス国教会の信仰を強制したため、ピューリタンからも不満の声が上がった。

□□□ **2** ★★ ジェームズ1世に続いて、彼の息子のチャールズ1世も議会を軽視したため、議会は「権利の請願」を1628年に提出し、国王の独断による課税や不当な逮捕などの停止を要求した。

□□□ **3** イギリスでは国王を支持する王党派と、議会による改革を推進する議会派の対立が深まり、1642年に武装闘争に発展した。

□□□ **4** 議会派のクロムウェルは鉄騎隊を組織して活躍し、1645年のネーズビーの戦いでは王党派に圧勝した。

□□□ **5** クロムウェルは、1649年にチャールズ1世を処刑して共和政（コモンウェルス）をはじめた。

□□□ **6** ★ 独裁政治を行ったクロムウェルが1658年に死去すると政権は崩壊し、1660年にチャールズ2世が国王に即位し、再び国王による政治が行われるようになった。これを王政復古という。

□□□ **7** ★ 1640（1642）～1660年にわたるピューリタンを中心とする、イギリス絶対王政を崩壊させた市民革命を、イギリス革命（ピューリタン革命、清教徒革命）と呼ぶ。

□□□ **8** ★　フランスに亡命していたチャールズ2世は、議会を軽視する専制政治を行い、さらには、カトリックの復活を宣言した。議会は国王の力を制限するために、<u>審査法</u>と<u>人身保護法</u>を制定して対抗した。

□□□ **9** ★★チャールズ2世を継いだ弟のジェームズ2世の圧政に耐えかねた議会は、ジェームズ2世を廃位し、王女メアリと夫でオランダ総督のウィレムを国王として招致した。その過程で流血の惨事を伴わなかったため、この革命は<u>名誉革命</u>と呼ばれる。

□□□ **10** ★★1689年、新たな国王は議会が提示した権利の宣言を<u>権利の章典</u>として発布し、王権に対する議会の優越が法文化され、1世紀近くにわたった国王と議会の対決に終止符が打たれた。

アメリカ独立戦争

□□□ **11**　フレンチ・インディアン戦争の出費で財政難に陥ったイギリス本国は、13植民地に対して次々に課税を強化した。1765年にはあらゆる印刷物に課税する<u>印紙法</u>を制定した。これに対して植民地側は「代表なくして課税なし」をスローガンに激しく反発した。

□□□ **12** ★★1773年、北米における茶の独占販売権をイギリス東インド会社に与える茶法が制定された。これに対して植民地の急進派はボストン港に停泊中の東インド会社の船に侵入し、茶箱を海に投げ捨てた。この事件を<u>ボストン茶会事件</u>と呼ぶ。

□□□ **13**　1774年、<u>フィラデルフィア</u>で第1回大陸会議が開かれ、植民者たちは反イギリスで結束し、イギリス本国による弾圧の撤回を要求した。

□□□ **14** 1775年の<u>レキシントン</u>の戦いを機にアメリカ独立戦争がはじまると、植民地側は第2回大陸会議を開き、ワシントンを植民地軍総司令官に任命した。

□□□ **15 ★★** <u>トマス・ペイン</u>は『コモン・センス（常識）』という小冊子で、アメリカ独立の必要性と共和政の正しさを平易な文章で著し、独立への世論形成に大いに寄与した。

□□□ **16 ★★** 1776年7月4日、トマス・ジェファソンらが起草した独立宣言が発表された。独立宣言は、ロックの社会契約説の影響を受け、基本的人権・人民主権・<u>抵抗</u>（革命）権を掲げた。

□□□ **17 ★** 1781年のヨークタウンの戦いで、アメリカ植民地軍とフランスの連合軍がイギリス本国軍に勝利して大勢は決した。1783年には<u>パリ</u>条約が結ばれ、イギリスはアメリカの独立を承認し、ミシシッピ川以東のルイジアナをアメリカに割譲した。

□□□ **18 ★** 1788年に発効されたアメリカ合衆国憲法には、モンテスキューの影響で行政・司法・立法の<u>三権分立</u>が採用された。任期4年のアメリカ大統領が連邦政府（行政）の長とされ、この憲法に基づいて初代大統領にワシントンが就任した。

> 小冊子『コモン・センス』が中立派を独立になびかせました

フランス革命

☐☐☐ **19** フランス革命前夜のフランスは、第一身分（聖職者）・第二身分（貴族）・第三身分（平民）の３つの身分に分かれていた。第一身分と第二身分は<u>特権</u>身分と呼ばれ、重要官職を独占、国土の４割を所有し、免税や年金などを保持していた。

☐☐☐ **20 ★** <u>アンシャン・レジーム</u>（旧制度）と呼ばれる、16世紀からフランス革命前までのフランスの政治・社会制度の中で、国民の98％を占める第三身分である平民の生活はとても苦しいものだった。

☐☐☐ **21** ルイ14世以来の度重なる外征や、宮廷の浪費、ルイ16世による<u>アメリカ独立</u>戦争への参戦で、フランスの財政は窮乏していた。

☐☐☐ **22** ルイ16世は、重農主義者の<u>テュルゴー</u>とスイス生まれの銀行家のネッケルを登用して財政改革を行ったが、特権身分への課税を主張するネッケルに対し、反発した特権身分は事態を打開するために1614年以来の三部会の召集を要請した。

☐☐☐ **23 ★** ルイ16世は三部会を召集したが、個人別票決を主張する第三身分と、<u>身分別議決法</u>（1身分1票で投票）を主張する特権身分とが対立した。

☐☐☐ **24 ★★** 1789年6月には、第三身分の代表らが三部会から離脱して新たな議会である国民議会を結成し、憲法が制定されるまで国民議会を解散しないことを誓った。これを「<u>球戯場</u>（テニスコート）の誓い」と呼ぶ。

☐☐☐ **25 ★★** 1789年7月14日、国王軍のヴェルサイユ集結と、ネッケルの罷免に対してパリ市民は立ち上がり、武器弾薬を求めて圧制の象徴であった<u>バスティーユ</u>牢獄を襲撃した。

□□□ **26 ★** <u>バスティーユ</u>牢獄の襲撃は、全国で農民反乱を誘発した。国民議会はこの暴動を鎮圧するために 1789 年 8 月 4 日に<u>封建的特権</u>の廃止を宣言した。

□□□ **27 ★★** 1789 年 8 月 26 日、<u>ラファイエット</u>の起草による人権宣言が発せられ、自然権・国民主権・私有財産の不可侵などが規定された。

□□□ **28** 1789 年 10 月、パリで穀物の価格が上がり、パンを求めるパリの女性たち数千人がパリから国王が暮らすヴェルサイユ宮殿に向かって行進する<u>ヴェルサイユ行進</u>が起こった。この結果、ルイ 16 世一家は革命の中心地であるパリに連行された。

□□□ **29 ★** 議会とのパイプ役であったミラボーの死去で不安が募ったルイ 16 世一家は、王妃マリ・アントワネットの出身地であるオーストリアへの逃亡を図り失敗した。これを<u>ヴァレンヌ逃亡</u>事件と呼ぶ。この事件で国王に対する国民の不信は増大した。

□□□ **30** 1791 年 8 月 27 日、革命が自国へ波及することを恐れたオーストリアと<u>プロイセン</u>は、共同でピルニッツ宣言を発表して、ヨーロッパのすべての君主に対して、フランスの王権回復を訴えた。

□□□ **31** ピルニッツ宣言に対して、国民議会は <u>1791</u> 年憲法を制定した後、解散。この憲法では、立憲君主政や財産資格選挙、一院制の議会設立が規定された。

□□□ **32** 1791 年に成立した立法議会では、立憲君主政を主張するかつての国民議会のメンバーが中心の<u>フイヤン</u>派と、国王は不要であると考え、共和政を主張するジロンド派が対立した。

□□□ **33** ジロンド派内閣は、ピルニッツ宣言を提唱したオーストリアに宣戦布告したが、次第に劣勢となり敗戦が続いた。祖国フランスの危機に全国各地から<u>義勇軍</u>がパリに駆け付け、立法議会と祖国を救うための戦いに参加した。

□□□ **34 ★★** 1792 年、サンキュロット（義勇兵とパリの都市労働者）がルイ 16 世の住む宮殿を襲撃。これを <u>8 月 10 日</u>事件と呼ぶ。この事件を受けて立法議会は王権の停止を宣言し、男子普通選挙の実施を約束した。

□□□ **35 ★** 1792 年 9 月、<u>ヴァルミー</u>の戦いで、<u>義勇軍</u>からなるフランス革命軍がはじめてプロイセン軍に勝利した。この場にいたゲーテは「この日、この場所から世界史の新しい時代がはじまる」と評価した（異説有り）。

□□□ **36 ★★** 1792 年 9 月、立法議会に代わって、はじめての男子普通選挙によって国民公会が成立した。公会はルイ 16 世を処刑し、国王のいない政体である<u>第一共和政</u>を開始した。

□□□ **37 ★** ルイ 16 世の処刑は近隣の国王たちに衝撃を与えた。イギリスの<u>ピット</u>首相を中心に、フランス革命を牽制するために第 1 回対仏大同盟が結成された。

□□□ **38 ★** 1793 年、ジャコバン派は、ジロンド派を議会から追放して独裁を確立した。ジャコバン派指導者のロベスピエールは、反対派に反革命の容疑をかけ、毎日のように処刑した。これを<u>恐怖政治</u>という。

□□□ **39 ★★** 1794 年、反ロベスピエール派は<u>テルミドール</u> 9 日のクーデタを起こし、ロベスピエールとその仲間たちを逮捕し、処刑した。これによりジャコバン派の独裁は終了した。

□□□ **40** ロベスピエールが処刑された後、フランスでは穏健共和派が主導する 1795 年憲法が制定された。この憲法では男子普通選挙が廃止され、再び財産資格による<u>制限</u>選挙が復活した。

> フランス革命の出来事や政策の流れを押さえよう!

ナポレオン時代

□□□ **41** 1795 年憲法を受けて成立した<u>総裁政府</u>は、独裁による恐怖政治を防ぐために権力を分散させた(二院制議会・5 人の<u>総裁</u>)。しかし、決断のスピードが遅くなるという欠点を抱え、政情は不安定になった。

□□□ **42** 1796 年、ナポレオンは<u>イタリア</u>遠征を行い、オーストリアを破り、第 1 回対仏大同盟を崩壊させた。

□□□ **43** 1798 年、ナポレオンはイギリスとインドの通商路の遮断を狙って<u>エジプト</u>遠征を行ったが、海上ではイギリスの海軍提督ネルソンの活躍で敗北した。これを機に 1799 年にイギリス首相ピットの提唱で第 2 回対仏大同盟が結成された。

□□□ **44 ★★** 1799 年、ナポレオンはわずかな部下を連れて<u>エジプト</u>遠征から帰国し、<u>ブリュメール</u> 18 日のクーデタによって<u>総裁</u>政府を打倒して統領政府を樹立した。ここに 1789 年にはじまったフランス革命が終了した。

☐☐☐ **45 ★** 統領政府の第一統領として事実上独裁体制を敷いたナポレオンは、1801 年にローマ教皇と和解し、<u>宗教協約</u>（コンコルダート）を結んでフランスでカトリックを復活させた。

☐☐☐ **46 ★** 1802 年、ナポレオンは<u>アミアンの和約</u>（英仏間の休戦条約）を締結し、第 2 回対仏大同盟を解消させた。

☐☐☐ **47 ★★** ナポレオンはフランス革命によって市民が獲得した数々の権利を法典にまとめ、1804 年、私有財産の不可侵や契約の自由などが盛り込まれた<u>ナポレオン</u>法典（フランス民法典）を制定した。

☐☐☐ **48 ★★** 1804 年、ナポレオンは国民投票で皇帝ナポレオン 1 世として即位した。ナポレオン 1 世が即位してから、退位するまでのフランスの政治体制を<u>第一帝政</u>と呼ぶ。

☐☐☐ **49** 1805 年、皇帝に即位したナポレオンを警戒し、イギリス首相ピットが中心となって第 3 回対仏大同盟が結成された。これに反発したナポレオン 1 世は、<u>トラファルガー</u>の海戦（1805 年）でイギリスと戦うが、再びネルソン率いるイギリス海軍に敗北した。

☐☐☐ **50 ★** 1805 年、イギリス上陸を断念したナポレオン 1 世は大陸制覇に専念し、<u>アウステルリッツの戦い</u>（三帝会戦）でオーストリア・ロシアの連合軍を破り、第 3 回対仏大同盟は消滅した。

☐☐☐ **51 ★★** 1806 年、ナポレオン 1 世が盟主となってドイツ諸領邦を従属させ、<u>ライン</u>同盟を結成した。この結果、神聖ローマ帝国は名実ともに滅亡した。

☐☐☐ **52 ★** 1806 年、ナポレオン 1 世は<u>大陸封鎖令</u>（ベルリン勅令）を発令し、大陸諸国とイギリスとの通商を禁じた。

□□□ **53** ★★ ナポレオン1世は、イエナの戦いに勝利し、プロイセン・ロシアと<u>ティルジット</u>条約（1807年）を結んだ。この条約でナポレオン1世は、ロシアには大陸封鎖令に参加させ、プロイセンには広大な領土を割譲させ、高額な賠償金を課した。

□□□ **54** ナポレオン1世が大陸諸国を制覇したことは、諸国の民衆から解放者ナポレオンと見なされる一方で、侵略者ナポレオンへの反感からは**ナショナリズム**が発生した。

□□□ **55** ★★ 大陸封鎖令（ベルリン勅令）を破ったロシアに制裁を加えるために1812年にナポレオン1世が行ったロシア遠征（モスクワ遠征）は、<u>クトゥーゾフ</u>将軍が率いるロシア軍の大勝に終わり、寒さと飢えでフランス軍の主力は壊滅した。

□□□ **56** ★ 1813年、ナポレオン1世とヨーロッパ諸国との間で<u>ライプツィヒの戦い</u>（諸国民戦争）が起こった。この戦いで連合軍はフランス軍に勝利、ナポレオン1世は退位し、エルバ島に流刑になった。

□□□ **57** ★ 1815年、ナポレオンは復位したが<u>ワーテルロー</u>の戦いに敗れ、再び退位（百日天下の終了）し、南大西洋の孤島セントヘレナへ流刑となって死去した。

産業革命

□□□ **58** ★★ 18世紀後半に、イギリスでは第2次囲い込み（<u>エンクロージャー</u>）で土地を失った農民が、新しい産業の工場労働者となって都市に流入した。

□□□ **59** ★ 18世紀前半の<u>ジョン・ケイ</u>の飛び杼の発明がきっかけとなり、綿工業の技術革新がはじまった。

□□□ **60** ★ 18世紀後半に<u>ハーグリーヴス</u>はジェニー紡績機を、アークライトは水力紡績機を、クロンプトンはミュール紡績機を発明した。

□□□ **61** ★ 18世紀後半に<u>ワット</u>が改良した蒸気機関は、その後さまざまな輸送機関の開発を可能にした。19世紀前半にはスティーヴンソンが蒸気機関車を実用化、フルトンは蒸気船を実用化した。

□□□ **62** ★ イギリスに次いで、フランスが1830年代に、ドイツが1840年代に、アメリカは<u>南北</u>戦争後の1860年代に産業革命が本格化した。

□□□ **63** 産業革命期のイギリス綿工業の中心はマンチェスターで、マンチェスターの外港として<u>リヴァプール</u>が栄えた。

□□□ **64** ★★ 仕事を奪われた労働者は<u>ラダイト</u>（機械打ち壊し）運動を起こした。

□□□ **65** ★ 19世紀半ば、イギリスの工業力は他国を圧倒し「<u>世界の工場</u>」と呼ばれた。

□□□ **66** ★★ 産業革命期のイギリスでは、都市への人口集中や、女性や<u>子ども</u>が安価な労働力として工場で酷使されるなど新たな社会問題が発生した。

✅ ひと口コラム

香辛料をめぐるモルッカ諸島での争い（1623年「アンボイナ事件」）で、オランダに敗れたイギリスは、東南アジアから撤退してインドに向かいます。そこで出会ったのが「キャラコ」（平織りの綿布）でした。その後イギリスは、インドから輸入した綿花を使い、綿工業を飛躍的に発展させていきます。

合格者のまとめノート

2-03　市民革命と産業革命

✓ 市民革命の流れ

● イギリス

1642 年　クロムウェル 　　　　　<u>イギリス</u>革命	1651 年　航海法
↓	
1688 年　名誉革命 　　　　　ロックの思想・抵抗権	<u>重商</u>主義

● アメリカ

1765 年　印紙法
　　　　　「代表なくして課税なし」

↓

1773 年　<u>ボストン茶会</u>事件

↓

1776 年　ジェファソン起草の「独立宣言」…独立戦争

↓

1783 年　<u>パリ</u>条約（イギリスが 13 植民地の独立承認）

↓

1787 年　アメリカ合衆国憲法　モンテスキューの三権分立

> ワシントンが初代大統領に就任し、ワシントンD.C.が首都になりました

●**フランス** ↓

1789年　フランス革命
　　　　　人権宣言（自由・平等、国民主権、私有財産の不可侵）
↓

1793年　対仏大同盟（イギリスのピット首相）
　　　　　ジャコバン派の独裁　<u>ロベスピエール</u>の恐怖政治
　　　　　　　　　　　　　　　↓

　　　　　　　　　　●**ナポレオン**
　　　　　　　　　　1804年　第一帝政
　　　　　　　　　　　　　　　<u>ナポレオン</u>法典
　　　　　　　　　　　　　　　　↓

　　　　　　　　　　1806年　ライン同盟
　　　　　　　　　　　　　　　<u>大陸封鎖令</u>

　　　　　　　　　　1812年　ロシア（モスクワ）遠征
ウィーン会議　　　　1814年　エルバ島に流される
メッテルニヒ主催　　1815年　ワーテルローの戦い
タレーランの　　　　　　　　　　セントヘレナ島に流される
正統主義が原則
↓
ウィーン体制

✔ 産業革命

イギリスではじまった要因
　・資本の蓄積（工場制手工業、商業の発展）
　・市場の拡大（世界の海上支配権を握る）
　・豊かな労働力（第2次<u>囲い込み</u>で農民が工場労働者に）
　・豊かな資源（石炭、鉄）

木綿工業から発達＋工場制機械工業の発達＝**イギリス「世界の工場」に**

✓ 産業革命で生まれたもの

各種発明

年	人物	発明
1712年	ニューコメン	蒸気機関
1733年	ジョン・ケイ	飛び杼
1764年	ハーグリーヴス	ジェニー紡績機
1769年	アークライト	水力紡績機
	ワット	蒸気機関を改良
1779年	クロンプトン	ミュール紡績機
1785年	カートライト	力織機

交通革命

年	人物	発明
1807年	フルトン	蒸気船
1814年	スティーヴンソン	蒸気機関車

影響

資本主義の確立、交通の発達、大都市の発展、労働問題の発生

✓ アメリカ南北戦争の構図

場所	産業	貿易対策	奴隷制	支持政党
北部	資本主義商工業	保護貿易	反対	共和党
南部	プランテーション	自由貿易	賛成	民主党

・北部は「商工業」中心。イギリスの経済的支配下に置かれることを恐れ、
　国内産業を保護するため、イギリスの安い製品が入ってこないように
　「保護貿易」を望んだ。
・南部は「綿花のプランテーション」（黒人奴隷を使用）が中心。
　イギリスへの綿花輸出が産業の中心であったため、「自由貿易」を望んだ。

✓ 帰納法と演繹法

	帰納法	演繹法
論説	イギリス経験論	大陸合理論
提唱者	ベーコン「知は力なり」	デカルト「我思う、故に我あり」
内容	経験や実験、観察を通じて一般法則を導く	万人に平等に備わっている理性が正しい方向に導く

✓ 西洋の思想

	主な内容
啓蒙思想	市民革命を経験した17世紀のイギリスではじまり、18世紀のフランスで発展した。 モンテスキュー、ヴォルテール、ルソー
ドイツ観念論	イギリス経験論と大陸合理論を合わせたもの。 カント、ヘーゲル
功利主義	18世紀後半のイギリス産業革命期に起こった。 ベンサム「最大多数の最大幸福」（量的）、ミル「満足した豚であるよりも、不満足な人間であるほうが良い」（質的）
プラグマティズム	行動と経験の重要性を説いた。イギリス経験論と功利主義の系譜を継ぐ。 パース、ジェームズ、デューイ
実存主義	現実存在の略。本当の生き方を求めて生きる人間の存在の在り方を問う。 キルケゴール『死に至る病』、ニーチェ「永劫回帰」「神は死んだ」「超人」『ツァラトゥストラはかく語りき』、 ヤスパース、ハイデッガー『存在と時間』、 サルトル『嘔吐』「実存が本質に先立つ」

> それぞれの思想家と彼らの思想の特徴を確認！　実存主義は要チェック！

2-04 | ２つの世界大戦とその後の世界

２つの世界大戦が起きた経緯などを学びましょう。第二次世界大戦後、冷戦の発生と終結を経て現代にいたる流れの確認も大切です。

第一次世界大戦

優先度：★★＞★＞無印

□□□ **1** オーストリアはパン・ゲルマン主義を唱え、ロシアはパン・スラヴ主義を唱えて、それぞれバルカン半島への進出を図った。このためバルカン半島は「ヨーロッパの火薬庫」と表現された。

□□□ **2** ★★ 1914 年 6 月 28 日、ボスニアの州都サライェヴォで、オーストリアの皇位継承者夫妻がセルビア人の青年によって暗殺された。これをサライェヴォ事件という。この事件をきっかけに、第一次世界大戦が勃発した。

□□□ **3** ★★ 第一次世界大戦においてイギリス・フランス・ロシアを主力とした国々を連合国（三国協商が基盤）といい、ドイツ・オーストリア＝ハンガリー帝国・オスマン帝国・ブルガリアの 4 カ国を同盟国（三国同盟が基盤）という。

□□□ **4** ★ 日本は日英同盟を口実に連合国側で参戦し、ドイツ領南洋諸島や山東半島を征服した。大隈重信は中国の袁世凱（えんせいがい）政権に二十一カ条要求を認めさせ、ドイツの持っていた山東省などの権益を継承した。

□□□ **5** アメリカ合衆国はドイツの無制限潜水艦作戦に反発し、1917 年 4 月に連合国側で参戦した。

□□□ **6** 第一次世界大戦では国民の間に厭戦（えんせん）気分が高まって、ロシアやドイツで革命が起こった。ロシアではロシア革命が起きて帝政が崩壊し、ソヴィエト政権が 1918 年 3 月にドイツと単独でブレスト・リトフスク条約を結び、第一次世界大戦を離脱した。

□□□ **7**　1918 年 11 月 3 日、ドイツでは**キール**軍港の水兵反乱を機に帝政が崩壊（ドイツ革命）、11 月 11 日にドイツ共和国が休戦協定に調印して第一次世界大戦は終結した。

ヴェルサイユ体制

□□□ **8**　1919 年 1 月に開催された<u>パリ講和会議</u>は、ウィルソン大統領（アメリカ）、ロイド・ジョージ首相（イギリス）、クレマンソー首相（フランス）が主導した。この会議によって成立した国際秩序は、ヴェルサイユ体制と呼ばれる。

□□□ **9 ★**　アメリカのウィルソン大統領は、秘密外交の禁止・海洋の自由・関税障壁の撤廃・軍備縮小・民族自決・国際平和機構の設立などの <u>14</u> カ条を提唱した。

□□□ **10 ★★**　対ドイツ講和条約である<u>ヴェルサイユ</u>条約では、軍備制限、植民地放棄、フランスにアルザス・ロレーヌ割譲、賠償などの厳しい条件が課せられた。

□□□ **11**　ウィルソンの <u>14</u> カ条に基づいて、1920 年 1 月に<u>ジュネーヴ</u>を本部とする国際連盟が発足した。

□□□ **12 ★★**　アメリカの<u>ハーディング</u>大統領の提唱で開催されたワシントン会議（1921 ～ 1922 年）で成立したアジア・太平洋の国際秩序をワシントン体制と呼ぶ。この会議の主な目的は極東における日本の勢力拡大阻止であった。

□□□ **13 ★**　ワシントン会議で成立した条約には、太平洋の現状維持を規定した四カ国条約（これにより日英同盟が解消された）、中国の主権尊重・領土保全・門戸開放などを確認した<u>九カ国</u>条約、主力艦の保有比率を規定したワシントン海軍軍備制限条約がある。

世界恐慌

□□□ **14 ★** 1929 年 10 月 24 日（暗黒の木曜日）、ウォール街の
ニューヨーク株式市場で株価が大暴落し、世界恐慌の
きっかけとなった。

□□□ **15 ★** 世界恐慌発生時のアメリカのフーヴァー大統領は、ドイ
ツの賠償金支払いを 1 年間猶予するフーヴァー・モラ
トリアムを宣言したが、積極的な景気対策は打たず効果
はなかった。

□□□ **16 ★★** 1933 年にアメリカ大統領に就任したフランクリン・
ローズヴェルトは、恐慌対策としてニューディールや善
隣外交を推進した。

□□□ **17 ★★** イギリスやフランスでは世界恐慌対策としてブロック経
済（保護関税により排他的経済圏を形成すること）を採
用し、自由貿易体制を放棄した。

□□□ **18** ソ連は世界恐慌の影響をほとんど受けず、第 1 次五カ
年計画（1928 ～ 32 年）・第 2 次五カ年計画（1933 ～
37 年）と計画経済を推進した。

□□□ **19** 第一次世界大戦後のドイツやイタリアのように、個人の
自由を奪い、国家を優先させる体制を全体主義といい、
ドイツではナチズム、イタリアではファシズムと呼ば
れた。

□□□ **20** イタリアでは 1922 年にムッソリーニのファシスト党内
閣が成立し、1926 年には一党独裁体制が確立した。

□□□ **21** ドイツでは世界恐慌後にナチスが中産階級を中心に支持
を拡大し、1932 年の選挙で第一党となり、ヒトラー内
閣が成立した。1933 年には全権委任法を成立させ、一
党独裁体制を確立した。

□□□ **22**　1933 年、ドイツは国際連盟を脱退し、1935 年にはヴェルサイユ条約の軍備制限を破棄し、再軍備と徴兵制復活を宣言した。

□□□ **23**　イタリアのムッソリーニ政権はエチオピアに侵攻し、1936 年に併合した。

□□□ **24**　1938 年、ドイツはオーストリアの併合に成功すると、1939 年にはチェコスロヴァキアを解体し、スロヴァキアを保護国化した。

世界恐慌に対する各国の対応の
違いは要チェック！

第二次世界大戦

□□□ **25★**　1939 年 8 月、独ソ不可侵条約を締結したドイツは、1939 年 9 月 1 日にポーランドに侵攻した。ポーランドの同盟国であるイギリスとフランスが 9 月 3 日にドイツに宣戦布告したことで第二次世界大戦が勃発した。

□□□ **26★**　1941 年 8 月、フランクリン・ローズヴェルト大統領（アメリカ）とチャーチル首相（イギリス）は大西洋上で会談し、大西洋憲章を発表、枢軸国（ファシズム）に対する連合国の戦争目的や戦後の基本構想を明確化した。

□□□ **27**　1943 年 11 月、ローズヴェルト（アメリカ）・チャーチル（イギリス）・蔣 介石（中国）は、カイロ会談で、日本の無条件降伏や、朝鮮の独立、満州・台湾の中国への返還など対日処理方針を決定したカイロ宣言に調印した。

□□□ **28 ★** 1943年11〜12月、ローズヴェルト（アメリカ）、チャーチル（イギリス）、スターリン（ソ連）は、テヘラン会談において、ノルマンディー上陸作戦の実施を決定、ソ連の対日参戦でも合意した。

□□□ **29 ★★** 1945年2月、ローズヴェルト（アメリカ）・チャーチル（イギリス）・スターリン（ソ連）は、ヤルタ会談において、国際連合の安全保障理事会の常任理事国に拒否権を認める、ドイツの戦後処理、ソ連の対日参戦などを決定した。

□□□ **30 ★★** 1945年7〜8月、トルーマン（アメリカ）、チャーチル、（途中から）アトリー（イギリス）、スターリン（ソ連）は、ポツダム会談において、ドイツの戦後処理、日本の降伏条件や戦後処理など大戦終結後の問題を話し合った。

□□□ **31 ★★** ポツダム会談中の7月にアメリカ・イギリス・中国の3国が発表した日本に対する降伏勧告宣言がポツダム宣言である。軍国主義の一掃、領土の制限、民主化、軍隊の武装解除などを列挙した。

□□□ **32** 1944年、ダンバートン・オークス会議で、国際連合憲章の原案が作成され、1945年のサンフランシスコ会議において、国際連合憲章が採択された。

各会談は参加者まで問われるので注意しよう！

冷戦のはじまりと終わり

☐☐☐ **33**　1947年3月、アメリカのトルーマン大統領は、トルコとギリシャの共産化阻止のための軍事支援を表明し、対ソ封じ込め政策を開始した。これを<u>トルーマン・ドクトリン</u>と呼ぶ。

☐☐☐ **34 ★★** 1947年6月、アメリカの国務長官のマーシャルがヨーロッパ経済復興援助計画（マーシャル・プラン）を提案し、ソ連は1947年9月に共産党情報局（<u>コミンフォルム</u>）を結成した。

☐☐☐ **35**　アメリカ・フランス・イギリスが、ドイツの占領地域において、1948年6月に西側独自の通貨を発行、ソ連は1948年6月〜1949年5月にかけて、西側占領地区(西ドイツ)から西ベルリンへの交通を遮断する<u>ベルリン封鎖</u>で対抗した。

☐☐☐ **36 ★**　1949年1月、ソ連・東欧諸国は、マーシャル・プランに対抗する形で、経済相互援助会議（<u>コメコン〈COMECON〉</u>）を結成した。

☐☐☐ **37 ★**　1949年4月、アメリカ主導で西側軍事同盟の<u>北大西洋条約機構</u>（NATO）が結成され、後に西ドイツの再軍備とNATO加盟が実現すると、1955年5月にソ連主導で東側軍事同盟のワルシャワ条約機構（東ヨーロッパ相互援助条約）が結成された。

☐☐☐ **38 ★**　ベルリン封鎖解除後、ドイツの分断は固定化され、1949年5月に西側占領地域に<u>ドイツ連邦共和国</u>（西ドイツ）が、1949年10月に東側占領地区にドイツ民主共和国（東ドイツ）が成立した。

□□□ **39 ★★** 1950 年、北朝鮮の韓国侵攻で朝鮮戦争が勃発した。アメリカ軍主力の国連軍が韓国を支援、中華人民共和国の義勇軍が北朝鮮を支援して戦った。北緯 38 度線を軍事境界線とする朝鮮休戦協定が 1953 年に結ばれた。

□□□ **40** 1955 年、アメリカ・イギリス・フランス・ソ連の首脳が集まって開催されたジュネーヴ 4 巨頭会談で米ソの緊張は緩和した。

□□□ **41** 1953 年にスターリンが死去すると、ソ連は西側との協調へと外交政策を転換した。1959 年にはフルシチョフがソ連の指導者としてはじめて訪米し、アイゼンハワー大統領との会談が実現するなど「雪どけ」と呼ばれる東西対立の緊張緩和が生まれた。

□□□ **42** 1954 年のネルー・周恩来会談では、インドのネルーと中国の周恩来が、領土・主権の尊重や相互不侵略、内政不干渉などの平和五原則を発表した。

□□□ **43 ★** 1955 年にインドネシアのバンドンで開かれたアジア＝アフリカ会議（バンドン会議）では平和十原則が発表され、米ソどちらの陣営にも属さない第三世界（第三勢力）の台頭が見られた。

□□□ **44** アフリカで 17 カ国が独立を達成した 1960 年のことを「アフリカの年」という。

□□□ **45 ★** 1965 年、アメリカのジョンソン大統領は、北ベトナムに対して大規模な空爆を行った。ベトナム戦争は泥沼化し、国際的な反戦運動が高まり、アメリカの威信は低下した。

□□□ **46** ニクソン大統領（アメリカ）在任中の 1973 年、ベトナム（パリ）和平協定が成立し、アメリカ軍はベトナムから撤退した。

□□□ **47** ★★ 1985 年にソ連の書記長となったゴルバチョフは、<u>ペレストロイカ</u>（改革）・グラスノスチ（情報公開）を掲げ、東西の緊張緩和を目指す「新思考外交」（協調外交）を推進した。

□□□ **48** ★★ 1989 年に<u>ベルリン</u>の壁が崩壊し、1990 年には東西ドイツが統一された。

□□□ **49** ★★ アメリカのブッシュ大統領（父）とソ連のゴルバチョフ書記長が 1989 年の<u>マルタ</u>会談で冷戦終結を宣言した。

□□□ **50** ★ 1991 年の保守派のクーデタ失敗後に<u>ソ連共産党</u>が解散してソ連が崩壊すると、ロシア連邦などで独立国家共同体（CIS）が結成された。

⊘ ひと口コラム

1929 年 10 月 24 日、ニューヨーク証券取引所で株価が暴落しました。世界恐慌のはじまりです。当時アメリカは、ラジオ放送、ジャズ、自動車と、フィッツジェラルドが『グレート・ギャツビー』で描いた狂騒の 20 年代でした。経済局面はまさにバブルだったわけです。

合格者のまとめノート

2-04 2つの世界大戦と その後の世界

✓2つの世界大戦と大戦間時代

・**第一次世界大戦**（1914～1918年）

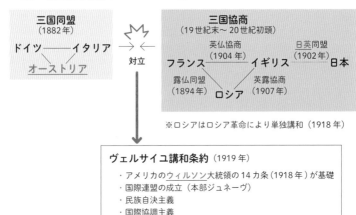

三国同盟
（1882年）

ドイツ——イタリア
オーストリア

→ ←
対立

三国協商
（19世紀末～20世紀初頭）

英仏協商
（1904年）
日英同盟
（1902年）
フランス———イギリス———日本
露仏同盟　　　　　　英露協商
（1894年）ロシア（1907年）

※ロシアはロシア革命により単独講和（1918年）

ヴェルサイユ講和条約（1919年）
・アメリカのウィルソン大統領の14カ条（1918年）が基礎
・国際連盟の成立（本部ジュネーヴ）
・民族自決主義
・国際協調主義

・**世界恐慌**（1929年）

ニューヨークのウォール街ではじまり、資本主義諸国に拡大

・**アメリカ**

ドイツ、オーストリアから資金を引き揚げる
　↓
両国の経済破綻
　↓
フーヴァー・モラトリアム（1931年6月）
ニューディール（1933～30年代末）：フランクリン・ローズヴェルト大統領

- **●イギリス**

  オタワ連邦会議（1932 年）

  　　↓

  オタワ協定「<u>ブロック</u>経済」

  ※フランスも同じ政策を採った

- **●イタリア・ドイツ・日本**

  ファシズム体制

  　　イタリア…ファシスト党・ムッソリーニ

  　　ドイツ……ナチ党・<u>ヒトラー</u>

  　　日本………軍部、政治家、財閥

  　　↓

  日独伊三国防共協定（1937 年）

- **・第二次世界大戦**（1939 ～ 45 年）

  世界恐慌の発生（1929 年）

  　　↓

  ファシズムの台頭

- **・1941 年末の第二次世界大戦の陣営**

枢軸国		連合国
イタリア・ドイツ・日本	→← 対立	イギリス・ソ連・アメリカなど

2つの世界大戦の陣営を混同しない
ように要注意！

✓ 大戦中の連合国首脳会談

会談名	年月	主な参加者	主な内容
大西洋上会談	1941年8月	ローズヴェルト、チャーチル	ファシズム打倒を戦争目的に
カイロ会談	1943年11月	ローズヴェルト、チャーチル、蔣介石	カイロ宣言
テヘラン会談	1943年11月	ローズヴェルト、チャーチル、スターリン	ノルマンディー上陸作戦の実施を決定
ヤルタ会談	1945年2月	ローズヴェルト、チャーチル、スターリン	戦後のドイツの4国管理決定、国連安保理常任理事国の拒否権を認める
ポツダム会談	1945年7月	トルーマン、チャーチル（途中からアトリー）、スターリン	ポツダム宣言

✓ 冷戦の流れ

状態	年	主な出来事
対立表面化	1945年	ヤルタ会談：ローズヴェルト…スターリン
	1948〜49年	ベルリン封鎖：トルーマン…スターリン
雪どけ	1955年	ジュネーヴ4巨頭会談：アイゼンハワー…フルシチョフ
再燃	1961年	ベルリンの壁構築：ケネディ…フルシチョフ
核戦争の危機	1962年	キューバ危機：ケネディ…フルシチョフ
緩和	1963年	部分的核実験停止条約：ジョンソン…ブレジネフ
	1965〜73年	アメリカ・ベトナム戦争に介入、反戦運動・黒人解放運動（キング牧師）：ジョンソン…ブレジネフ
	1973年	パリ和平協定（米軍撤退）
多極化	1975年	サイゴン陥落（ベトナム戦争終結）：ニクソン…ブレジネフ
	1979年	イラン・イスラーム革命、アフガニスタン侵攻（ソ連）：カーター…ブレジネフ
	1985年	ゴルバチョフ書記長に就任、グラスノスチ（情報公開）、ペレストロイカ（改革）、新思考外交（協調外交）
終結	1989年	ベルリンの壁崩壊、マルタ会談（冷戦終結）：ブッシュ…ゴルバチョフ ※冷戦は「ヤルタ」ではじまり、「マルタ」で終わる

✔ 西洋の美術

様式	人物と作品名
ルネサンス	ボッティチェリ『ヴィーナスの誕生』/レオナルド・ダ・ヴィンチ『モナリザ』『最後の晩餐』/ラファエロ『アテネの学堂』/ミケランジェロ『ダヴィデ』『最後の審判』
バロック	レンブラント『夜警』/エル・グレコ『受胎告知』
ロココ	ヴァトー『シテール島への船出』
ロマン主義	ドラクロワ『民衆を導く自由の女神』
自然主義	ミレー『落穂拾い』『晩鐘』
写実主義	クールベ『石割り』
印象派	マネ『草上の昼食』/モネ『印象・日の出』『睡蓮』/ルノワール『ムーラン・ド・ラ・ギャレットの舞踏会』/ドガ『舞台の踊り子』/セザンヌ『サント・ヴィクトワール山』/ゴッホ『ひまわり』『糸杉』/ゴーガン『タヒチの女たち』
野獣派（フォーヴィズム）	マティス『赤い室内』
立体派（キュビズム）	ピカソ『アヴィニョンの娘たち』『ゲルニカ』
超現実主義（シュルレアリスム）	ダリ『記憶の固執』

✔ 西洋の音楽

様式	年代や人物など
バロック	17〜18世紀「豪華で華麗」 バッハ、ヘンデル
古典派	18世紀後半〜19世紀「均整がとれた形式美」 ハイドン、モーツァルト、ベートーベン
ロマン派	18世紀後半〜19世紀前半「感情豊かな表現」 シューベルト、メンデルスゾーン、ショパン、ワーグナー

西洋音楽の中でも「古典派」は特に
要チェック！

エピソードの仕込みで
作文・小論文に勝つ！

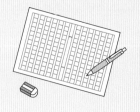

　時間内に、丁寧に、しかも合格点の作文・小論文を書くにはどうしたらいいでしょう？

　ヒントは、「作文・小論文は現場で書くものではない」です。現場とはもちろん試験会場のことで、試験会場で出された課題を見てゼロからはじめる人は、すでに勝負に負けたようなものです。

　作文・小論文の合否は、あらかじめどれだけ**「新鮮なネタ（エピソード）」を仕込んでいるか**どうかで決まります。公務員試験の作文・小論文で出される課題は、だいたい決まっています。試験を実施する側も、いきなり突飛な課題を与えて受験生のアイデアや対応力を試そうとしているわけではありません。むしろ**必要なことを、必要なレベルで準備しているかどうかが問われる**のです。似たような課題が何度も出題されるということは、「しっかり準備してくるように！」という採用側からのメッセージともいえます。

　ネタを収集したら4つのステップに構成しましょう。そのステップは「**①はじめに→②エピソード→③考え→④まとめ**」です。もちろんどんな課題であっても、自分にしか語れないエピソードを中心にまとめることは変わりません。

　エピソードを通じて自分はこう考えるようになり、こう成長し、これを身につけることができた。そしてそれを仕事に就いてからこのように活かしたい……このスタイルが基本になります。

　これさえ事前にしっかり準備しておけば、合格点は間違いなしです。

3rd Subject

>>> 日本史

日本史では、近代史を中心に扱います。近代史は覚えることが多く、外交や経済・社会による影響も複雑で、苦手にしている人が多いです。まずは、その時代の状況を把握して、なぜその動きが起こったかを、背景まで考えて理解を深めましょう。

3-01 | 江戸幕府の成立と文治政治

江戸時代前期は、幕藩体制による支配の仕組み、武断政治から文治政治への変化、外交方針の確立までを学びましょう。

江戸幕府の成立

優先度：★★＞★＞無印

□□□ **1**　1600年、関ヶ原の戦いで勝利した徳川家康は、1603年に征夷大将軍となって江戸幕府を開き、1614～1615年の大坂の役（大坂冬の陣と大坂夏の陣）で、豊臣氏を滅ぼした。

□□□ **2 ★★** 江戸幕府の最高職にあった大老は常置ではなく、通常は老中が幕政を統轄した。中央の職制は大老を除いて複数で構成され、1カ月交代で務める月番交代で勤務した。

□□□ **3 ★**　将軍から1万石以上の領地を与えられた者が大名、将軍直属の1万石未満の家臣のうち、将軍に謁見できる者が旗本、それ以外は御家人と呼ばれた。

□□□ **4**　大名を監察する大目付は老中の下に置かれた。また、旗本を監督する若年寄は老中を補佐する役職で、若年寄の下には旗本や御家人を監察する目付が置かれた。

□□□ **5 ★★** 朝廷や西国大名の監視を行うために京都所司代が置かれ、大坂や駿府などには城代と町奉行が、長崎や佐渡などには遠国奉行が置かれた。

□□□ **6**　主な行政は、寺社奉行・町奉行・勘定奉行の三奉行が行った。寺社奉行は寺社の監察を、町奉行は行政と司法を、勘定奉行は財政を担当した。

□□□ **7**　役職をまたぐ重要事項や訴訟に関しては、評定所で老中と三奉行が合議して裁決した。

□□□ **8 ★** 大名は、徳川氏一門を親藩、関ヶ原の戦い以前からの徳川家の家臣は譜代、それ以外は外様と呼ばれた。親藩には御三家（尾張・水戸・紀伊）や御三卿（一橋・田安・清水）があった。親藩と譜代は要所に、外様は遠隔地に置かれた。

□□□ **9 ★★** 江戸幕府は武家諸法度を制定して大名を統制した。徳川家康の命によって金地院崇伝が起草した武家諸法度（元和令）は徳川秀忠の名で公布され、その後、将軍の代替わりごとに発令された。

□□□ **10 ★** 3代将軍徳川家光により発令された武家諸法度（寛永令）で制度化された、大名が国元と江戸を1年ごとに往復する制度を参勤交代と呼ぶ。大名の妻子は江戸住まいを強制された。

□□□ **11 ★** 1615年、江戸幕府は禁中並公家諸法度を制定して、天皇や公家の職分や権限を定めた。

□□□ **12 ★** 江戸幕府はキリスト教禁教を徹底するために寺請制度を設けて宗門改めを実施し、すべての人を寺院の檀家として宗旨人別帳（宗門改帳）に登録させた。

□□□ **13** 江戸時代の村の運営は、名主・組頭・百姓代からなる村方三役と呼ばれた村役人を中心とする本百姓によって行われた。

□□□ **14** 田畑を持ち、検地帳に記載されて年貢を負担し、村政に参加する農民が本百姓、検地帳に記載されず小作や日雇い仕事で生活する農民を水呑百姓という。また、有力な本百姓と隷属関係を結んだ農民を名子・被官と呼んだ。

□□□ **15 ★★** 江戸時代の村の運営は村法（村掟）により行われ、違反者には村八分などの制裁が加えられた。村民は五人組に組織され、年貢納入や犯罪の防止について連帯責任を負わされた。

□□□ **16** 江戸時代の領主は村を行政の末端組織として、年貢納入や命令の伝達を村単位で行った。こうした村の自治に依存した支配制度を<u>村請制</u>という。

□□□ **17★** 本百姓の負担は田畑や屋敷地にかかる<u>本途物成</u>(本年貢)が中心で、その他、農業以外の副業にかかる小物成、治水工事などの夫役にあたる国役、街道宿駅に人や馬を差し出す伝馬役などがあった。

□□□ **18★★** 江戸幕府は寛永の飢饉（1641〜42年）をきっかけに、本百姓を維持し没落を防ぐために<u>田畑永代売買</u>の禁令（1643年）を、経営規模の細分化を防ぐために分地制限令（1673年）を発令した。

「幕府の組織」と「村の運営」はよく出るので要チェック！

江戸初期の外交と鎖国体制

□□□ **19** 1600年、オランダ船<u>リーフデ号</u>が豊後に漂着した。家康は乗組員のヤン・ヨーステン（オランダ）とウィリアム・アダムズ（イギリス）を外交顧問とした。

□□□ **20★★** 江戸幕府は海外渡航を許可する<u>朱印状</u>を大名や商人に与えた。島津家久や有馬晴信などの大名、京都の角倉了以や茶屋四郎次郎、長崎の末次平蔵などの豪商が貿易を行い、東南アジアにまで商圏を広げた。

□□□ **21★★** 1604年、江戸幕府は特定の商人に<u>糸割符仲間</u>（京都・堺・長崎、のちに江戸・大坂からも選ばれ五カ所商人となる）を結成させ、ポルトガル商人の生糸貿易の独占的利益を排除するための<u>糸割符制度</u>を設けた。

□□□ **22**　徳川家康はノビスパン（スペイン領メキシコ）との通商を求め、1610年、京都の商人田中勝介を派遣した。

□□□ **23**　仙台藩主伊達政宗は、1613年、家臣の**支倉常長**をスペインに派遣（慶長遣欧使節）した。

□□□ **24★**　江戸時代初期、朱印船貿易が盛んになると東南アジア各地に日本人の拠点として日本町が作られた。シャム（現在のタイ）のアユタヤの日本町の長だった<u>山田長政</u>は、シャム王室の信任を得て登用された。

□□□ **25**　1612年、江戸幕府は直轄領に禁教令を出し、1613年には全国に拡大し、キリスト教徒に改宗を強制した。1614年にはキリシタン大名の<u>高山右近</u>をマニラに追放している。

□□□ **26★**　1616年、中国船以外の外国船の寄港地を平戸と長崎に限定した。1624年には**スペイン**船の来航を禁じている。

□□□ **27★★**　1631年、朱印状の他に老中奉書により海外渡航が許可される奉書船制度がはじまり、1633年には奉書船以外の海外渡航が禁止された。さらに<u>1635</u>年、日本人の海外渡航と在外日本人の帰国を禁止し、中国船の寄港は長崎に限定された。

□□□ **28★★**　<u>島原の乱</u>（1637〜1638年）でキリスト教徒たちの団結力を目の当たりにした幕府は、1639年、ポルトガル（カトリック国）船の来航を禁止し、さらにキリスト教徒の弾圧を強化した。

□□□ **29★**　1641年にはオランダ商館を平戸から長崎の出島に移し、長崎奉行の監視下に置いた。オランダ商館長が提出した海外事情のレポートを**オランダ風説書**という。

□□□ **30**　江戸幕府は、1688年には清国人の居留地を<u>唐人屋敷</u>に限定した。

□□□ **31** 江戸時代になると朝鮮との国交が回復し、1609 年、対馬藩主の宗氏は朝鮮との間に己酉約条を結んだ。宗氏は幕府許可で対朝鮮貿易を独占し、朝鮮からは将軍の代替わりごとに慶賀のために<u>通信使</u>が派遣された。

□□□ **32 ★** 琉球王国は島津氏に征服され、薩摩藩の支配下に入った。琉球は江戸時代を通じて国王の代替わりごとに謝恩使を、将軍の代替わりごとに<u>慶賀使</u>を幕府に派遣した。

□□□ **33 ★** 江戸幕府からアイヌとの交易権を保障された松前氏は、蝦夷地でアイヌと交易する権利を家臣に<u>知行</u>として与えた。この制度を<u>商場知行制</u>という。

> 江戸初期の外交は国別に整理して覚えよう！

文治政治

□□□ **34 ★★** 1651 年 3 代将軍徳川家光が没した直後、<u>由井正雪</u>が牢人を集めて幕府打倒を企てた慶安の変が起こった。

□□□ **35 ★★** 慶安の変をきっかけに、江戸幕府は 17 世紀前半の軍事力を基に支配する<u>武断</u>政治から、17 世紀後半の儒教道徳を用いて世の中の秩序を維持する文治政治へと転換した。

□□□ **36** 慶安の変の後、江戸幕府は<u>末期養子</u>（跡継ぎのない大名が死に臨んで急に養子を願い出ること）の禁を緩和し、大名家の断絶を減らして牢人の発生を防いだ。

□□□ **37** 4 代将軍徳川家綱の時代に、異様な風体で徒党を組み、秩序に収まらない<u>かぶき者</u>に対して取り締まりを強化した。

□□□ **38 ★★** 1657 年、4 代将軍家綱の時代に起きた江戸の大火のことを<u>明暦の大火</u>と呼ぶ。江戸の 55％が焼失し、死者は 10 万人を超えた。振袖火事ともいう。

□□□ **39** 4 代将軍家綱は、<u>殉死</u>の禁止を命じ、主人の死後に家臣が後を追って自死することを禁じた。

□□□ **40 ★** 諸藩では儒者を登用する藩主が増え、徳川光圀（水戸）は朱舜水、池田光政（岡山）は熊沢蕃山、保科正之（会津）は山崎闇斎、前田綱紀（加賀）は木下順庵をまねいた。また、徳川光圀は江戸に彰考館を設けて『<u>大日本史</u>』の編纂を開始した。

□□□ **41** 5 代将軍となった徳川綱吉は、文治政治を積極的に推進した。綱吉の活躍した時代を<u>元禄時代</u>と呼ぶ。

□□□ **42** 5 代将軍綱吉は、はじめ大老の<u>堀田正俊</u>を用いたが、堀田正俊が刺殺された後は側用人の<u>柳沢吉保</u>を重用した。

□□□ **43 ★★** 5 代将軍綱吉は、<u>湯島聖堂</u>と聖堂学問所を整備し、林羅山の孫の林信篤を<u>大学頭</u>に起用し、儒教を重んじた。

□□□ **44** 5 代将軍綱吉は仏教信仰に厚く、1685 年以降たびたび<u>生類憐みの令</u>を発令して生類の殺生を禁止した。綱吉は犬公方と称された。

□□□ **45 ★★** 石見や但馬からの<u>銀</u>の産出量が減少したことに加え、4 代将軍家綱の時期に起きた<u>明暦の大火</u>からの復興費用、5 代将軍綱吉による寺社造営や儀礼の整備からの支出増により、幕府の財政難は深刻なものとなった。

□□□ **46 ★** 勘定吟味役の<u>荻原重秀</u>は、幕府の財政再建のために貨幣改鋳を建議した。1695 年、これを受けて幕府は慶長金銀より金の含有量を減らした質の悪い元禄金銀を鋳造して利益を上げたが、貨幣の価値が下がることで物価が高騰し、庶民の生活を圧迫した。

□□□ **47** ★★ 5代将軍綱吉の死後、6代将軍家宣、7代将軍家継の侍講を務めた儒者の新井白石が、側用人の間部詮房とともに行った政治を正徳の治と呼ぶ。

□□□ **48** 新井白石は新たに閑院宮家を創設し、天皇家との結びつきを強めて朝廷との協調を図った。

□□□ **49** 新井白石は、6代将軍家宣の将軍就任を祝うために派遣されてきた朝鮮通信使の待遇を簡素化するとともに、朝鮮からの国書における将軍の呼称を「日本国大君」から「日本国王」に改めさせた。

□□□ **50** ★ 新井白石は金の含有量を下げた元禄金銀を改めて、慶長金銀と同質の正徳金銀を鋳造して物価騰貴を抑えようとしたが、再度の貨幣交換はかえって経済の混乱を引き起こすことになった。

□□□ **51** ★ 長崎貿易で多額の金銀が流出したため、新井白石は1715年に海舶互市新例（長崎新令）を出して、清やオランダとの貿易額や船数を制限した。

□□□ **52** 新井白石はイタリア人宣教師のシドッチを尋問して『西洋紀聞』『采覧異言』を著した。

✓ ひと口コラム

文治政治は儒学の中でも朱子学を広めて、その教えである「君に忠、親に孝」の精神を徹底させて政治を行おうというものです。4代将軍家綱は、末期養子の禁をゆるめて50歳未満の大名に末期養子を認めたり、人質や殉死を禁止したりしました。これを「寛文の二大美事」といいます。

3rd Subject

日本史

合格者のまとめノート

3-01 江戸幕府の成立と 文治政治

✓ 江戸時代の土地制度とそれまでの流れ

背景・時代	主な出来事
土地制度のはじまり	645年　大化の改新、公地公民、「班田収授法」
人口の増加 開墾の奨励	722年　百万町歩開墾計画 723年　三世一身法　※公地公民崩壊 743年　墾田永年私財法　※同年、大仏造立の詔（アメとムチ）
荘園の発達	自墾地系荘園　→　寄進地系荘園 有力貴族への土地の寄進が進む 「不輸」「不入」の権を持つ寄進地系荘園が増大 摂関家へ集中　→　院へ集中
鎌倉時代	幕府が荘園管理のために「地頭」を設置 主従関係「御恩と奉公」※源頼朝と主従関係を結び御家人となる 御家人は先祖伝来の所領を幕府に承認してもらう＝本領安堵 功績によって恩賞をもらう＝新恩給与
戦国時代	守護による領国支配体制 織田信長などの戦国大名＝指出検地 　→　豊臣秀吉＝太閤検地：一地一作人　※荘園制完全消滅
江戸時代	惣村を中心とする領地　※幕藩体制が封建的秩序を支えた 1643年　田畑永代売買の禁令 1673年　分地制限令

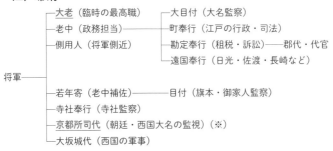

「江戸幕府」と「鎌倉幕府」の組織を
一緒に覚えよう！

✓江戸幕府と鎌倉幕府の機構比較

●江戸幕府

```
                ┌─ 大老（臨時の最高職）    ┌─ 大目付（大名監察）
                ├─ 老中（政務担当）────────┼─ 町奉行（江戸の行政・司法）
                ├─ 側用人（将軍側近）       ├─ 勘定奉行（租税・訴訟）──── 郡代・代官
                │                          └─ 遠国奉行（日光・佐渡・長崎など）
 将軍 ──────────┤
                ├─ 若年寄（老中補佐）──────── 目付（旗本・御家人監察）
                ├─ 寺社奉行（寺社監察）
                ├─ 京都所司代（朝廷・西国大名の監視）（※）
                └─ 大坂城代（西国の軍事）
```

※鎌倉幕府の「六波羅探題」との混同に注意

●鎌倉幕府

```
         ┌──── 侍 所（1180年）：御家人統率 ……………… 別当 ── 和田義盛
 <中央>  ├──── 公文所（1184年）→政 所：一般政務 ……… 別当 ── 大江広元
         └──── 問注所（1184年）：訴訟・裁判 …………… 執事 ── 三善康信

 将軍 ─ 執権

         ┌──── 京都守護→六波羅探題：京都の警備・朝廷との交渉
         ├──── 鎮西奉行→鎮西探題：九州御家人の統率
 <地方>  ├──── 奥州総奉行：東北御家人の統率
         ├──── 守護：大犯三カ条＝京都大番役の催促・謀反人の逮捕・殺害人の逮捕
         │          1国1人（※）
         └──── 地頭：荘園・公領ごと。荘園・公領の管理、治安維持
```

さむらいどころ（侍所）
くもんじょ（公文所）　まんどころ（政所）
もんちゅうじょ（問注所）
おおえのひろもと（大江広元）
みよしのやすのぶ（三善康信）

※当時は66カ国・最大で66人。地頭は大勢いた

●約260年続いた江戸幕府の将軍

将軍	時期
① 家康　② 秀忠　③ 家光	武断政治期
④ 家綱　⑤ 綱吉　⑥ 家宣　⑦ 家継	文治政治期
⑧ 吉宗　⑨ 家重　⑩ 家治　⑪ 家斉　⑫ 家慶	改革期
⑬ 家定　⑭ 家茂　⑮ 慶喜	衰退期

✔ 江戸初期の外交

● オランダ・イギリス

1600 年<u>リーフデ号</u>豊後に漂着

ヤン・ヨーステン（日本名：耶楊子）、

ウィリアム・アダムズ（日本名：三浦按針）

→オランダ平戸商館開設

● ポルトガル

1604 年<u>糸割符制度</u>

ポルトガル商人の巨利を排除するため糸割符仲間（京都・堺・長崎）が
輸入生糸を一括購入

● スペイン

田中勝介をノビスパンに派遣

✔ 鎖国の流れ

● 2 代秀忠

年	主な出来事
1612年	天領に禁教令→1613年に全国へ
1614年	キリシタン大名・<u>高山右近</u>ら国外追放
1616年	中国船以外の外国船の来航を平戸・長崎に制限

● 3 代家光

年	主な出来事
1624年	スペイン船の来航禁止
1633年	「**鎖国令**」 <u>奉書船</u>以外の海外渡航禁止
1635年	「**鎖国令**」 日本人の海外渡航と帰国全面禁止
1637年	<u>島原の乱</u> 首領・天草四郎
1639年	「**鎖国令**」 <u>ポルトガル船</u>「かれうた」（当時の呼称）の来航禁止
1641年	オランダ商館を平戸から出島へ移す

※「鎖国令」の年は「3・5・9」＝「さ・こ・く」と覚える

✓ 諸外国の接近

● ロシア

年	主な出来事
1792年	ラクスマン（根室）、大黒屋光太夫の送還
1804年	レザノフ長崎来航→文化の撫恤令（緩和）（1806年）
1811年	ゴローウニン事件（国後島）、高田屋嘉兵衛と交換

● イギリス

年	主な出来事
1808年	フェートン号事件（長崎）→異国船打払令（強硬）（1825年）

● アメリカ

年	主な出来事
1837年	モリソン号事件、異国船打払令で撃退 →『慎機論』の渡辺崋山と『戊戌夢物語』の高野長英はモリソン号事件での幕府の対応を批判したとして「蛮社の獄」で処罰される
1840～42年	アヘン戦争→天保の薪水給与令（緩和）（1842年）

「鎖国」の流れは、その後の「諸外国の接近」（問題は143～144ページに掲載）と合わせて年表でしっかり覚えよう！

3-02 │ 江戸時代の三大改革と田沼時代

江戸時代中期は、支配の仕組みが行きづまるようになった背景を理解し、政治改革の内容と結果を整理しましょう。

享保の改革

優先度：★★＞★＞無印

- [ ] [ ] [ ] **1** 8 代将軍徳川吉宗は、御三家の紀伊藩から将軍に就任して <u>享保</u>の改革を進めた。

- [ ] [ ] [ ] **2** ★★ 吉宗は優秀な旗本を登用するために、在職中に限って家禄の不足分を支給する<u>足高</u>の制を採用した。

- [ ] [ ] [ ] **3** ★ 吉宗は金銭貸借に関する訴訟を三奉行では受け付けず、当事者間で解決させる<u>相対済し</u>令を定めた。

- [ ] [ ] [ ] **4** ★★ 吉宗は大名 1 万石につき 100 石を上納させる<u>上げ米</u>を実施し、その代償として大名に対して参勤交代の在府期間を半減した。

- [ ] [ ] [ ] **5** ★★ 吉宗は徴税法を改め、その年の収穫高に応じて年貢率を決める<u>検見</u>法から、一定の期間同じ年貢率を続ける<u>定免</u>法へ転換し、基準となる年貢率を四公六民（4 割の年貢率）から五公五民（5 割の年貢率）へ引き上げた。

- [ ] [ ] [ ] **6** 吉宗は江戸日本橋に新田開発奨励の高札を立てて、商人資本の力を借りた新田開発を進めた。この新田のことを<u>町人請負新田</u>と呼ぶ。

- [ ] [ ] [ ] **7** ★ 吉宗は<u>公事方御定書</u>を編纂して裁判の基準を定めた。

- [ ] [ ] [ ] **8** ★ 吉宗は評定所に目安箱を設置して民意を反映させた。目安箱の投書により<u>小石川養生所</u>（施療施設）が小石川薬園に作られた。

- [ ] [ ] [ ] **9** 町奉行・大岡忠相は、いろは 47 組の<u>町火消</u>を設置して江戸の町方の消防組織を強化した。

□□□ **10** 吉宗は流通を統制して価格の上昇を抑えるために、問屋商人に株仲間の結成を願い出させて彼らに独占的な営業を認めた。これが株仲間<u>公認</u>である。

□□□ **11** 吉宗は、1730年、米の取引の中心であった大坂<u>堂島</u>の米市場を公認し、米価の調整を図った。

□□□ **12★** 吉宗は実学を奨励するため<u>漢訳洋書</u>輸入の禁を緩和し、青木昆陽や野呂元丈にオランダ語を学ばせた。これにより洋学（蘭学）が発達した。

□□□ **13★★** 吉宗は朝鮮人参やサトウキビなどの商品作物の栽培を奨励したり、飢饉対策として<u>甘藷</u>（サツマイモ）の栽培を青木昆陽に研究させたりするなど、米以外の作物の栽培にも取り組んだ。

□□□ **14** 杉田玄白・前野良沢は西洋医学の解剖書『ターヘル・アナトミア』を翻訳し、『<u>解体新書</u>』を著した。

□□□ **15** 杉田玄白が著した『<u>蘭学事始</u>』に『ターヘル・アナトミア』翻訳の苦労が記されている。

田沼時代

□□□ **16** 10代将軍徳川家治の時代において田沼意次が側用人から<u>老中</u>に就任して実権を握った。田沼時代の特徴は積極的な殖産興業と商業資本の活用である。

□□□ **17★★** 田沼意次は諸種の株仲間を積極的に公認し、<u>運上</u>（営業税）や<u>冥加</u>（上納金）の徴収を増やした。

□□□ **18★★** 田沼意次は銅・鉄・真鍮・朝鮮人参などの幕府直営の<u>座</u>を設けて専売制を敷いた。

□□□ **19★** 田沼意次は下総国の<u>印旛</u>沼・手賀沼の干拓を進め、新田開発を試みた。

□□□ **20 ★** 田沼意次は長崎貿易で銅や海産物である<u>俵物</u>（いりこ・ほしあわび・ふかのひれ）の輸出を奨励し、金・銀の流入を試みた。

□□□ **21 ★** 工藤平助は『<u>赤蝦夷風説考</u>』を著し、蝦夷地の開発やロシアとの交易を提案した。田沼意次は蝦夷地開発の一環として、<u>最上徳内</u>を蝦夷地に派遣して交易の可能性を調査した。

□□□ **22** <u>天明</u>の飢饉は東北を中心とした冷害の被害からはじまって、これに浅間山の噴火による灰の被害が加わり、百姓一揆や打ちこわしが激化した。

寛政の改革

□□□ **23** 老中・松平定信は 11 代将軍徳川家斉を補佐して、享保の改革を理想とした<u>寛政の改革</u>を進めた。

□□□ **24 ★★** 松平定信は飢饉に備えて、大名に米を蓄えさせる<u>囲米</u>の制を定めるとともに、各地に<u>社倉</u>・<u>義倉</u>という蔵を作らせて米穀を蓄えさせた。

□□□ **25 ★★** 松平定信は飢饉で荒廃した農村の復興策として、他国への出稼ぎを制限した。また、都市へ流入して下層民となっていた農村出身者に対して故郷に帰るように奨励する<u>旧里帰農令</u>を発令した。

□□□ **26 ★★** 松平定信は江戸の石川島に<u>人足寄場</u>を置いて無宿人を強制的に収容し、職業訓練を行い自立させようとした。

□□□ **27 ★** 松平定信は江戸の町々に対して町費を節約させ、節約分の 7 割を飢饉や災害に備えて積み立てる<u>七分積金</u>（七分金積立）という制度を設けた。

□□□ **28** 松平定信は旗本や御家人を救済するために、棄捐令を発令して札差の債権を放棄させた。

□□□ **29 ★** 松平定信は寛政異学の禁を発令して、聖堂学問所での朱子学以外の儒学の講義を禁じた。

□□□ **30** 松平定信は、恋川春町の黄表紙や山東京伝の洒落本が風俗を乱すとして出版を禁止し、出版元の蔦屋重三郎を処罰した。

□□□ **31** 松平定信は『海国兵談』の著者である林子平が、海岸防備を説いたことを幕政批判として処罰した。

> 諸改革の政策はよく問われるので
> 間違えないように要注意！

諸外国の接近

□□□ **32** 1792 年、ロシアの使節ラクスマンが日本人漂流民の大黒屋光太夫を伴って根室に来航し、通商を要求した。

□□□ **33 ★** 1804 年、ロシアの使節レザノフはラクスマンが持ち帰った入港許可証を持って長崎に来航し、通商を求めた。

□□□ **34 ★★** 1806 年、文化の撫恤令（薪水給与令）が発令され、異国船に対して薪水を給与して帰国させる方針を採った。

□□□ **35** 1808 年、ロシアの蝦夷地進出に対して江戸幕府により北方探検を命じられた間宮林蔵は、樺太が島であることを確認した。

□□□ **36** 1811 年、国後島に上陸したロシア軍艦の艦長であるゴローウニンを日本が捕らえて監禁した。

□□□ **37 ★** 1808 年、イギリスの軍艦フェートン号が、オランダ船を追って長崎に侵入する事件が起きた。

□□□ 38 ★★ 江戸幕府は 1825 年、<u>異国船打払令</u>（無二念打払令）を発令し、オランダと中国船以外の外国船を武力で撃退するように命じた。

□□□ 39 ★ 1837 年、<u>アメリカ</u>の商船モリソン号が漂流民の返還と通商を求めて日本に接近すると、幕府はこれを撃退した。

□□□ 40 ★★ 渡辺崋山は『慎機論』を、高野長英は『戊戌夢物語』を著してモリソン号事件を批判したが、彼らは幕府によって処罰された。この事件を<u>蛮社の獄</u>と呼ぶ。

諸外国の接近は国別の幕府の対応策も一緒に覚えよう！

大御所時代と天保の改革

□□□ 41 11 代将軍斉は子の家慶に将軍職を譲った後も政治を主導し続けた。約 50 年にわたる家斉の治世を<u>大御所時代</u>と呼ぶ。

□□□ 42 ★ 1833 年に<u>天保</u>の飢饉が発生すると、全国で百姓一揆や打ちこわしが多発し、その中で大坂町奉行の元与力で陽明学者の<u>大塩平八郎</u>が 1837 年に反乱を起こした。

□□□ 43 1841 年、徳川家斉が死去すると、12 代将軍家慶の下で老中水野忠邦が<u>天保</u>の改革を推進した。

□□□ 44 ★ 水野忠邦は、当時の庶民に流行していた人情本作家の<u>為永春水</u>や、合巻本作家の<u>柳亭種彦</u>を処罰した。

□□□ 45 ★★ 水野忠邦は百姓の出稼ぎを禁じ、江戸に流入した農村出身者の帰村を強制する法である<u>人返しの法</u>を制定した。

□□□ 46 ★ 水野忠邦は寛政の改革と同じく旗本や御家人救済のための棄捐令を発するとともに、<u>札差</u>には<u>低利</u>の融資を命じた。

□□□ 47 ★★ 水野忠邦は物価高の原因が株仲間による流通の独占にあると考え、物価の下落を図るために株仲間の<u>解散</u>を命じた。しかし、株仲間がなくなったことで流通が混乱し、大坂から江戸への商品流入が滞り、かえって江戸の物価が上がってしまった。

□□□ 48 ★★ 水野忠邦は 1843 年、<u>上知令</u>を発令して江戸・大坂周辺の大名・旗本領あわせて約 50 万石の土地をすべて幕領にしようとしたが、強い反対を受けて実施できず、忠邦は失脚して、天保の改革も終わりを告げた。

□□□ 49 高橋景保の建議で、幕府は大文方に<u>蛮書和解御用</u>（のち蕃書調所）を設けて洋書の翻訳にあたらせた。

□□□ 50 天文方に学んだ<u>伊能忠敬</u>は、全国の沿岸の測量を行い『大日本沿海輿地全図』の作成を進めた。

□□□ 51 オランダ商館の医師として来日した<u>シーボルト</u>は、長崎郊外に鳴滝塾という塾を開き、高野長英などの人材を育てた。

✅ ひと口コラム

大塩平八郎は与力を引退した後、洗心洞という塾で陽明学を教えていました。陽明学は「知行合一」を説く学問です。大塩は自分の蔵書を売り払い、飢饉で苦しむ人に食事をふるまったといわれます。大塩平八郎の乱は半日で鎮圧されましたが、その影響は広がっていきました。

合格者のまとめノート

3-02 江戸時代の三大改革と田沼時代

✓ 江戸時代の改革

改革	内容
正徳の治 1709 〜 16年 6代家宣 7代家継 新井白石	・閑院宮家創設 ・朝鮮での将軍の呼称の変更（日本国大君→日本国王） ・海舶互市新例（長崎新令）、貿易制限令→金銀の流出防ぐ ・貨幣の改鋳、金の含有量を慶長金銀に戻す＝正徳金銀
享保の改革 1716 〜 45年 8代吉宗	・足高の制：人材の登用、在職中のみ役高不足分を支給 ・上げ米の制：大名が米を上納→参勤交代を緩和 ・公事方御定書：裁判の基準 ・目安箱（投書箱）の設置→小石川養生所が作られた ・相対済し令：金銭貸借に関する訴訟は受理しない ・定免法を導入：検見法→定免法 　年貢率を固定＋四公六民→五公五民 ・株仲間公認：商業の統制 ・堂島米市場公認：米価調整 ・漢訳洋書輸入の禁の緩和：実学奨励
田沼時代 1767 〜 86年 10代家治 老中田沼意次	・株仲間の積極的な公認：「運上・冥加」（営業税）の徴収 ・幕府直営の座：銅・鉄・朝鮮人参、専売制 ・印旛沼・手賀沼の干拓：新田開発 ・長崎貿易の拡大（俵物：ふかのひれなどの海産物） ・蝦夷地の開発：最上徳内を派遣、工藤平助『赤蝦夷風説考』

改革	内容
寛政の改革 1787 ～ 93年 11代家斉 老中<u>松平定信</u>	・<u>囲米</u>の制：社倉・義倉、飢饉対策 ・七分積金：江戸の町費の節約分の7割を積立、貧民救済 ・<u>旧里帰農令</u>：帰村を奨励 ・人足寄場：石川島に無宿人らを収容して職業訓練 ・棄捐令：札差に債権を放棄させる ・寛政異学の禁：湯島聖堂で<u>朱子学</u>以外の儒学の講義を禁止 ・山東京伝（洒落本）、恋川春町（黄表紙）、林子平『海国兵談』を処罰
天保の改革 1841 ～ 43年 12代家慶 老中水野忠邦	・人返しの法：農民の帰村を<u>強制</u> ・株仲間の<u>解散</u>……独占を解体し自由競争で物価を下げようとした→江戸に商品が入らなくなりかえって江戸の物価が上昇し、経済は混乱した ・<u>上知令</u>：江戸・大坂周囲を直轄化→反対されて失脚 ・為永春水（人情本）、柳亭種彦（合巻）を処罰 ・天保の薪水給与令

✓ 江戸時代の産業

三都	江戸「将軍のお膝元」：人口100万人・政治の中心 大坂「<u>天下の台所</u>」：経済の中心 京都「千年の都」：天皇・公家が居住・西陣織など工芸生産が盛ん
陸上	五街道：東海道・中山道・甲州道中・日光道中・奥州道中 関所で入鉄砲に出女を監視
水上	西廻り航路・東廻り航路：<u>河村瑞賢</u>が整備 南海路：江戸大坂間を定期的に運行。<u>菱垣廻船</u>と樽廻船 河川：角倉了以が富士川・高瀬川・天竜川などを整備 　　　安治川は河村瑞賢が整備

市	堂島米市場・日本橋魚市場・神田青物市場
株仲間	<u>運上</u>・冥加を支払い営業権を独占
農業	新田開発：<u>町人請負新田</u>、160万町歩→300万町歩 農業用水：箱根用水（芦ノ湖）・見沼代用水（利根川） 農具：備中鍬（びっちゅうぐわ）・千歯扱（せんばこき）・唐箕（とうみ）・千石通し（せんごくどおし）・踏車（ふみぐるま） 肥料：<u>金肥（きんぴ）の登場</u>：干鰯（ほしか）・油粕（あぶらかす） 商品作物：四木＝楮（こうぞ）・桑・漆・茶、三草＝藍・麻・紅花（べにばな） 農書：宮崎安貞（やすさだ）『<u>農業全書</u>』大蔵永常（ながつね）『広益国産考』 　　　新しい農業知識がこれらの書物（マニュアル本）で広まった 農村復興運動：<u>二宮尊徳</u>（報徳仕法）
漁業	上方漁法の普及：九十九里浜で地曳網（じびきあみ）（イワシ） 蝦夷地の俵物（いりこ・ほしあわび・ふかのひれ）
製塩業	瀬戸内の入浜式塩田（いりはましきえんでん）
林業	木曽ヒノキ・秋田杉

✓ 鎌倉・室町時代の産業比較

	鎌倉時代	室町時代
農業	二毛作（西日本） <u>牛馬耕</u>	二毛作（関東→全国）、三毛作 早稲（わせ）・中稲（なかて）・晩稲（おくて）（稲の品種改良）
肥料	刈敷（かりしき）・草木灰（そうもくばい）	下肥（しもごえ）
貨幣	日宋貿易（宋銭）、年貢の代銭納	日明貿易（明銭）、<u>撰銭令（えりぜにれい）</u>
定期市	<u>三斎市</u>	六斎市
金融業	借上（かしあげ）	酒屋・土倉
運送業	問丸（といまる）	問屋、馬借・車借

※鎌倉時代に芽吹いた技術や仕組みが室町時代に拡大・発展していった

> 中世の経済は鎌倉時代と室町時代をセットで覚えよう！

✓ 江戸時代の学問

● 元禄文化期

学問	主な人物
朱子学 （京学）	藤原惺窩（京学の祖）／林羅山（徳川家康に仕える）／林鵞峰（父の林羅山と『本朝通鑑』を編纂）
朱子学 （南学）	南村梅軒（南学の祖）／山崎闇斎（垂加神道を説いた）
陽明学	中江藤樹（近江聖人）／熊沢蕃山
古学	山鹿素行（聖学）／伊藤仁斎・東涯（親子・堀川学派）古義堂／荻生徂徠『政談』8代将軍吉宗の命で提出
本草学	貝原益軒『大和本草』
和算	関孝和
国文学	契沖『万葉代匠記』／荷田春満（国学を本格的に興した）／賀茂真淵『万葉考』
歴史学	徳川光圀『大日本史』／新井白石『読史余論』

● 江戸中・後期

学問	主な人物
国学	本居宣長『古事記伝』／塙保己一『群書類従』／平田篤胤（復古神道）
蘭学	前野良沢・杉田玄白『解体新書』／大槻玄沢『蘭学階梯』／稲村三伯『ハルマ和解』／伊能忠敬『大日本沿海輿地全図』
経世論	本多利明（開国貿易論）／佐藤信淵（産業国営化）
心学	石田梅岩
その他	安藤昌益『自然真営道』
教育機関	適塾（緒方洪庵）／鳴滝塾（シーボルト）／松下村塾（吉田松陰）

3-03 | 自由民権運動と大正デモクラシー

自由民権運動からはじまり、国会や政党内閣の成立など、現代につながる政治の仕組みの流れを理解しましょう。

自由民権運動

優先度：★★＞★＞無印

□□□ **1** ★★不平士族の不満をそらすために征韓論(せいかんろん)が唱えられたが、1873 年、征韓論は否決され、征韓派の参議 5 人（西郷隆盛・板垣退助・後藤 象(しょう) 二郎(じろう)・副島種臣(そえじまたねおみ)・江藤新平）は下野した。これを<u>明治六年の政変</u>と呼ぶ。

□□□ **2** ★ <u>明治六年</u>の政変後に<u>内務省</u>が設置され、長官となった大久保利通が政府の中心となった。

□□□ **3** ★★征韓論に敗れて下野した参議のうち西郷を除く板垣・江藤ら 4 人は、1874 年、<u>民撰議院設立建白書</u>を提出した。

□□□ **4** 板垣は土佐に帰って立志社を作り、これを中心に 1875 年、最初の全国的な政治結社である<u>愛国社</u>を大阪に結成した。

□□□ **5** 1874 年、征韓論で下野した参議の江藤を擁して不平士族が挙兵した。この反乱を<u>佐賀の乱</u>という。

□□□ **6** 1876 年、帯刀を禁じる<u>廃刀令</u>に加え、秩禄(ちつろく)処分が断行されると、不平士族は、敬神党（神風連(しんぷうれん)）の乱（熊本）、秋月(あきづき)の乱（福岡）、萩の乱（山口）を起こした。

□□□ **7** ★★1877 年、明治六年の政変で下野した西郷を首領として<u>西南</u>戦争が勃発した。これが最後の士族の反乱である。

□□□ **8** 自由民権運動に対して政府の大久保利通は、大阪会議で<u>漸次(ぜんじ)立憲政体樹立</u>の詔を出し、立憲政治に進む方向性を示した。

□□□ **9 ★** 政府は 1875 年に讒謗律や<u>新聞紙条例</u>を定め、自由民権運動を厳しく取り締まった。

□□□ **10 ★** 1880 年、愛国社は国会期成同盟に発展し、国会開設を政府に要求する署名活動を進めた。政府は署名の受け取りを拒否し、<u>集会条例</u>で弾圧を強化した。

□□□ **11** 北海道開拓使長官の黒田清隆は、開拓使の官有財産を、政商の五代友厚(同郷の薩摩出身)に非常に有利な条件で払い下げようとした。この事件を<u>開拓使官有物払下げ事件</u>という。

□□□ **12 ★★** 政府は開拓使官有物払下げ事件をきっかけに大隈重信を罷免し、国会開設の勅諭を出して 10 年後の国会開設を約束した。これを<u>明治十四年</u>の政変と呼ぶ。

□□□ **13 ★** 国会開設の勅諭を受けて、1881 年に板垣を党首とした<u>自由</u>党(国会期成同盟が改称)が、1882 年には大隈を党首とした<u>立憲改進党</u>が結成された。

□□□ **14** <u>自由</u>党は<u>フランス</u>流の急進的な立場をとって、地方の農村を基盤とした。<u>立憲改進党</u>はイギリス流の漸進的な立場をとり、都市の実業家や知識人に支持された。

□□□ **15** 民権派の政党結成に対して、政府は 1882 年に福地源一郎を中心に、政府を支持する保守派の<u>立憲帝政党</u>を結成させた。

□□□ **16** 国会期成同盟結成以来、自主的に憲法案が作られた。これらの明治前期の憲法私案を総称して<u>私擬憲法</u>と呼ぶ。植木枝盛は、抵抗権を含む急進的な『東洋大日本国国憲按』を起草した。

西南戦争が鎮圧されると反政府運動は言論活動中心になりました

松方財政と憲法制定

□□□ **17** 西南戦争の戦費調達のために<u>不換紙幣</u>を増発したことで、インフレが進行し、政府の財政難は深刻化した。

□□□ **18★★** 1881 年、大蔵卿（おおくらきょう）に就任した松方正義は、軍事費を除く歳出を抑制し（<u>緊縮</u>財政）、間接税を増税するデフレ政策を推進した。

□□□ **19★** 松方正義は不換紙幣を処分して物価を抑え、1882 年、中央銀行である<u>日本銀行</u>を設立し、銀本位制を確立した。

□□□ **20★★** 松方財政により、農村の不況は深刻化した。デフレで米の値段が下がり自作農が没落、代わりに土地を集めた地主が小作料収入を得て<u>寄生地主</u>になった。

□□□ **21★** 1882 年、福島県令の三島通庸（みちつね）の圧政に不況で苦しむ農民が抵抗、農民を助けた自由党の河野広中が検挙された。これを<u>福島</u>事件と呼ぶ。

□□□ **22★** 1884 年、栃木・福島の自由党員を含む民権派が、栃木県令の三島通庸の暗殺に失敗した後に茨城県で蜂起した。これを<u>加波山</u>（かばさん）事件と呼ぶ。

□□□ **23★** 1884 年、農民たちは困民党を結成し、負債の軽減などを求めて蜂起した。これを<u>秩父</u>事件と呼ぶ。政府は軍隊を出して鎮圧した。

□□□ **24** 激化事件に伴い、<u>加波山</u>事件の直後の 1884 年に<u>自由</u>党は解党し、<u>秩父</u>事件の後、大隈重信も<u>立憲改進</u>党を脱党し民権運動を離れた。

□□□ **25★★** 松方財政によるデフレ不況で自由民権運動は停滞したが、1886 年、旧自由党の星亨（ほしとおる）・後藤象二郎らを中心として<u>大同団結</u>運動がはじまった。

☐☐☐ **26** ★★ 1887 年、井上 馨 外務大臣の条約改正への反対運動を
きっかけに、外交失策の挽回、地租軽減、言論・集会の
自由を求める<u>三大事件建白</u>運動が起こった。

☐☐☐ **27** ★ 大同団結運動や三大事件建白運動の高揚に対し、1887
年、政府は<u>保安</u>条例を公布して多くの民権派を東京から
追放した。

☐☐☐ **28** 1884 年に作られた<u>制度取調局</u>の長官として、憲法の起
草や内閣制度などの諸制度の準備にあたったのは伊藤博
文である。

☐☐☐ **29** 1884 年、将来の貴族院の土台を作るために<u>華族</u>令が出
された。

☐☐☐ **30** 1885 年、<u>太政官</u>制を廃止して内閣制度を設けた。

☐☐☐ **31** ★★ 1889 年 2 月 11 日、黒田清隆内閣の時に<u>大日本帝国憲</u>
法が公布された。

政府は民権運動を弾圧する一方で
憲法制定の準備を進めていました

大正政変と政党内閣

☐☐☐ **32** ★★ 第二次西園寺公望内閣は 1912 年 12 月、<u>2 個師団増設</u>
問題で総辞職した。

☐☐☐ **33** ★★ 第三次桂太郎内閣が成立すると、第一次護憲運動が起こ
り、桂内閣は組閣 53 日で退陣した。これを<u>大正政変</u>と
呼ぶ。

☐☐☐ **34** ★ 第一次護憲運動は立憲政友会の尾崎行雄と立憲国民党の
犬養 毅 が中心となり、「<u>閥族</u>打破　憲政擁護」のスロ
ガンが掲げられた。

□□□ **35** 第三次桂太郎内閣の後、海軍大将の山本権兵衛が立憲政友会を与党として内閣を組織した。

□□□ **36★** 1914年、第一次山本内閣は、軍艦をめぐる汚職事件のジーメンス事件で総辞職した。

□□□ **37★** シベリア出兵を当て込んだ米の投機的な買い占めなどで米価が高騰、1918年、富山県の漁民の主婦らが米の安売りを求めて立ち上がったのをきっかけに米騒動が起こった。

□□□ **38** 寺内正毅内閣は軍隊で米騒動を鎮めたが、政府に対する批判は収まらず総辞職した。

□□□ **39★★** 1918年、衆議院第一党の立憲政友会の総裁である原敬が、陸海相と外相を除き閣僚を政友会員とする本格的な政党内閣を作った。

□□□ **40** 原敬は華族でも藩閥出身でもなかったため、民衆から平民宰相と呼ばれ期待された。

□□□ **41** 原内閣は普通選挙導入には慎重な姿勢を見せ、1919年の選挙法改正で選挙権の納税資格を3円以上に引き下げ、小選挙区制を導入するに留まった。

内閣とその関連事項は問われるので一緒に覚えよう！

護憲三派内閣の成立と社会運動

☐☐☐ **42**　<u>関東大震災</u>（1923 年）の混乱の中で在任中に亡くなった加藤友三郎内閣に代わって、第二次山本内閣が非政党内閣として成立した。

☐☐☐ **43**　第二次山本内閣が虎の門事件の責任をとって総辞職すると、1924 年、清浦奎吾が貴族院の力を背景に<u>超然</u>内閣を組閣した。

☐☐☐ **44**　清浦内閣に対し、憲政会（加藤高明）・立憲政友会（高橋是清）・革新倶楽部（<u>犬養毅</u>）の護憲三派が第二次護憲運動を展開した。

☐☐☐ **45**★★第二次護憲運動に勝利し、憲政会の加藤高明が首相となり、護憲二派が与党の第一次加藤高明内閣を組織した。この加藤内閣から犬養内閣までの衆議院の多数党の党首が内閣を組織する政党内閣の慣例を、<u>憲政の常道</u>と呼ぶ。

☐☐☐ **46**★★1925 年、加藤高明内閣は、納税資格を撤廃し、25 歳以上の男子に選挙権を与える普通選挙法を制定したが、同時に共産主義を警戒して<u>治安維持法</u>という社会主義運動取締法を制定した。

☐☐☐ **47**★★大正時代に高揚した、自由主義・民主主義的な風潮を大正デモクラシーと呼ぶ。吉野作造は天皇主権の下で民主主義の長所を採り入れる<u>民本主義</u>(デモクラシーの訳語)を唱え、美濃部達吉の天皇機関説とともに大正デモクラシーの理念となった。

☐☐☐ **48**★　1912 年に鈴木文治が結成した友愛会は労資協調主義の労働団体で、1920 年には第 1 回<u>メーデー</u>（5 月 1 日に行われる労働者の祭典）を主催、1921 年には日本労働総同盟へと発展し、階級闘争主義の下でストライキを指導した。

□□□ **49 ★** ロシア革命の影響を受けて「冬の時代」にあった社会主義運動が復活した。堺利彦と山川均らはコミンテルン（国際共産党）の日本支部として、1922年に<u>日本共産党</u>を非合法に結成した。

□□□ **50 ★** 賀川豊彦や杉山元治郎は小作人の全国組織である<u>日本農民組合</u>を1922年に結成、地主層との闘いの前面に立って各地の小作争議を指導した。

□□□ **51 ★** 1911年、平塚らいてうが文学団体の青鞜社を設立し、日本の女性解放運動ははじまった。1920年、市川房枝・平塚らは政治団体の<u>新婦人協会</u>を結成し、参政権など女性の地位向上を目指した。

□□□ **52 ★** 被差別部落民によって、社会的差別を自主的に撤廃しようとする部落解放運動が起こり、1922年には<u>全国水平社</u>が結成された。

✅ ひと口コラム

軍部大臣現役武官制は、山県有朋内閣の時に作られました。陸軍長州閥出身の山県は政党の進出に危機感を強め、軍部大臣の就任資格を現役の大将・中将でなければならないと規定します。第2次西園寺内閣は、軍部大臣現役武官制の壁に阻まれて総辞職したわけです。

3rd Subject

日本史

合格者のまとめノート

3-03 自由民権運動と大正デモクラシー

✓ 議会政治につながる明治維新の流れ

諸外国との条約

年	主な出来事
1858年	日米修好通商条約 →安政の五カ国条約
	課題「条約改正」
1871年	日清修好条規 ※初の対等条約

征韓論

明治維新の歩み

年	主な出来事
1868年	戊辰戦争 →五箇条の御誓文（基本方針）、太政官制
1869年	版籍奉還
1871年	廃藩置県 新貨条例
1872年	国立銀行条例（国立銀行の設立）
1873年	地租改正、徴兵制
1885年	内閣制度

年	出来事
1875年	江華島事件
1877年	西南戦争（西郷隆盛）
1886年	「条約改正」会議
1891年	大津事件
1894年	日清戦争、日英通商航海条約：治外法権撤廃
1895年	下関条約（賠償金2億両）——→ 金本位制（1897年）
1904〜05年	日露戦争
1905年	ポーツマス条約
1911年	関税自主権の回復

鹿鳴館時代（1883〜87年）

✓ 条約改正の流れ

改正目標：領事裁判権の撤廃と関税自主権の回復

年代	内容
1870年代	岩倉具視（岩倉遣外使節）＝× 寺島宗則：関税自主権・アメリカ＝○　→　イギリス・ドイツ＝×
1880年代	井上馨：外国人判事＝×　※鹿鳴館時代（欧化主義） 大隈重信：外国人判事＝×　※玄洋社のテロで負傷
1890年代以降	青木周三：イギリスと交渉＝×　※大津事件 陸奥宗光（坂本龍馬の「海援隊」の元隊員）： 　イギリスと交渉＝日英通商航海条約（1894年）＝○ 日清戦争直前：領事裁判権撤廃・関税自主権一部回復＝○ 小村寿太郎：日米通商航海条約（1911年）・関税自主権完全回復＝○

✓ 下関条約とポーツマス条約の比較

	下関条約	ポーツマス条約
戦争	日清戦争（1894〜95年）	日露戦争（1904〜05年）
朝鮮問題	清の宗主権放棄＝朝鮮独立	朝鮮における日本の優越権容認 ＝朝鮮は日本の保護国
領土割譲	遼東半島（三国干渉で返還） 台湾・澎湖諸島	遼東半島南部（旅順・大連） 南満州鉄道・南樺太
賠償金	あり　→　金本位制	なし　→　日比谷焼き討ち事件

※遼東半島…三国干渉（ロシア・ドイツ・フランス）で返還
　→1898年ロシアが租借（南下戦略）。対抗策として日英同盟（1902年）
　→日露戦争へ

> 条約改正の流れは年代順に覚えると
> 理解しやすいです。また、両条約の
> 「朝鮮問題」「領土割譲」「賠償金」を
> 比較して覚えよう！

✓ 自由民権運動の流れ

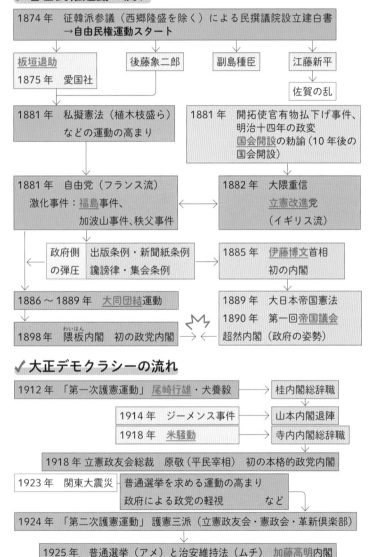

1874年 征韓派参議（西郷隆盛を除く）による民撰議院設立建白書
→自由民権運動スタート

板垣退助
1875年 愛国社

後藤象二郎

副島種臣

江藤新平
→佐賀の乱

1881年 私擬憲法（植木枝盛ら）などの運動の高まり

1881年 開拓使官有物払下げ事件、明治十四年の政変 国会開設の勅諭（10年後の国会開設）

1881年 自由党（フランス流）
激化事件：福島事件、加波山事件、秩父事件

1882年 大隈重信 立憲改進党（イギリス流）

政府側の弾圧 出版条例・新聞紙条例 讒謗律・集会条例

1885年 伊藤博文首相 初の内閣

1886〜1889年 大同団結運動

1889年 大日本帝国憲法
1890年 第一回帝国議会
超然内閣（政府の姿勢）

1898年 隈板内閣 初の政党内閣

✓ 大正デモクラシーの流れ

1912年 「第一次護憲運動」尾崎行雄・犬養毅 → 桂内閣総辞職

1914年 ジーメンス事件 → 山本内閣退陣

1918年 米騒動 → 寺内内閣総辞職

1918年 立憲政友会総裁 原敬（平民宰相） 初の本格的政党内閣

1923年 関東大震災 — 普通選挙を求める運動の高まり 政府による政党の軽視 など

1924年 「第二次護憲運動」護憲三派（立憲政友会・憲政会・革新倶楽部）

1925年 普通選挙（アメ）と治安維持法（ムチ）加藤高明内閣

✔明治・大正期の日本文学と鎌倉新仏教

●明治

	主な人物と作品
写実主義	坪内逍遥『小説神髄』『当世書生気質』/ 二葉亭四迷『浮雲』/ 尾崎紅葉『金色夜叉』/ 幸田露伴『五重塔』
浪漫(ロマン)主義	森鷗外『舞姫』『即興詩人』（アンデルセンの翻訳）
自然主義	島崎藤村『破戒』『夜明け前』/ 田山花袋『蒲団』『田舎教師』
耽美主義	永井荷風『ふらんす物語』/ 谷崎潤一郎『細雪』『刺青』
高踏派	夏目漱石『吾輩は猫である』『坊っちゃん』『三四郎』『草枕』『こころ』『それから』『門』『明暗』/ 森鷗外『高瀬舟』『青年』『雁』『山椒大夫』

●大正

	主な人物と作品
白樺派	武者小路実篤『お目出たき人』『友情』/ 志賀直哉『城の崎にて』『暗夜行路』/ 有島武郎『カインの末裔』『生まれ出づる悩み』/ 里見弴『多情仏心』
新思潮派	芥川龍之介『羅生門』『河童』『鼻』/ 菊池寛『父帰る』『恩讐の彼方に』
プロレタリア文学	小林多喜二『蟹工船』

●鎌倉新仏教

宗派	開祖	著書	キーワード
浄土宗	法然	『選択本願念仏集』	専修念仏
浄土真宗（一向宗）	親鸞	『教行信証』弟子の唯円『歎異抄』	悪人正機
時宗	一遍	弟子による『一遍上人語録』	踊念仏 遊行上人
日蓮宗（法華宗）	日蓮	『立正安国論』	題目
臨済宗	栄西	『興禅護国論』『喫茶養生記』（3代将軍実朝に献じた）	公案
曹洞宗	道元	『正法眼蔵』	只管打坐

面接カードは「第0印象」 わかりやすく丁寧に！

　よく面接は「第一印象が大事だ」といわれます。でも考えてみると、その前に面接の試験官は、受験生から提出された「面接カード」に目を通しています。

　試験官の方に聞いた話ですが、面接カードに目を通して「**この受験生にはこのことについて質問しよう**」とメモをとって**面接に臨む試験官もいる**そうです。つまり、受験生が試験会場に入室した段階で、すでに**第一印象は試験官にくっきりとイメージされている**ことになります。入室して試験官と対面した時の印象を第一印象とすれば、**面接カードは「第0印象」**ともいえるでしょう。面接カードはそれくらい大切なものなのです。

　面接カードは短時間に効率よく面接するためのツールで、試験官は面接カードを手元に置いて面接します。ですから、字の大きさや構成など、**試験官にとって読みやすいことを念頭に置き、わかりやすく丁寧に書くことが大事**です。字が汚いことを気にしている人でも、丁寧に書けばそれが試験官に伝わります。やはり面接カードも、作文・小論文と同じように外見が大事なんですね。

　面接カードに記入する内容は、だいたい次のようなものです。

　氏名・住所・学歴・職歴・志望理由・自己PR・長所・短所・趣味・特技・免許資格・併願状況・部活動・サークル活動・ボランティア活動……。面接カードに書いた内容と面接での返答が食い違わないように、**提出前にコピーをとっておき、面接前には必ず確認**するようにしましょう。

>>> **地理**

地理はテーマ別に世界を俯瞰する「系統地理」と、地域ごとの特色をみる「地誌」に分かれています。「系統地理」で、地形・気候・農業などの特色と関連性を把握し、「地誌」でその特色が各地域にどのような影響を与えているかを理解していきましょう。

4-01 | 地形と気候

世界全体の地形や気候を把握し、気候に影響を与えているもの、気候から影響を受けているものを整理しましょう。

地図の種類と時差

優先度：★★＞★＞無印

☐☐☐ **1** 地球上のある地点から他の地点に行くのに、常に経線と一定の角度で交わりながら進む航路を<u>等角</u>航路と呼ぶ。

☐☐☐ **2** ★★ メルカトル図法は<u>等角</u>航路が任意の2地点間の直線で表される。<u>航海図</u>によく利用される。

☐☐☐ **3** メルカトル図法では、経線と緯線は直角に交わり、経線は等間隔で、緯線は緯度によって間隔が異なる。高緯度ほど面積が<u>大きく</u>表される。

☐☐☐ **4** 地球上の2地点を結ぶ最短航路を<u>大圏</u>航路と呼ぶ。

☐☐☐ **5** ★★ 正距方位図法は、図の中心と任意の地点を結ぶ直線が<u>大圏</u>航路で表される。<u>航空図</u>によく利用される。

☐☐☐ **6** <u>国際連合</u>のマークに使われている地図は正距方位図法をデザインしたもので、その中心は北極である。

☐☐☐ **7** ★ 地図上の面積が正しく表現されているのが正積図法で、人口分布図など各種分布図によく利用される。正積図法には、サンソン図法・モルワイデ図法・<u>グード</u>（ホモロサイン）図法などがある。

☐☐☐ **8** 災害で被災する可能性のある地域を示す地図を<u>ハザードマップ</u>（災害予測図）と呼ぶ。

☐☐☐ **9** ★★ 世界の標準時子午線は、イギリスの旧グリニッジ天文台を通る経線である。日本標準時は、兵庫県の<u>明石</u>市を通る東経135度の子午線を標準時子午線としている。

□□□ **10 ★** 日付変更線は太平洋上を多少の屈曲を伴いながら、ほぼ東経および西経 180 度線に沿って引かれており、この線を超えて西に行く時は次の日の日付となる。

□□□ **11 ★** 各地の標準時は経度 15 度ごとに 1 時間の時差が生じる。例えば日本（東経 135 度）とロンドン（0 度）の場合、経度差の 135 度を 15 度で割った 9 時間の時差があることになる。

□□□ **12** 高緯度の国の中には、夏の日照時間が長いことから夏季に標準時間を 1 時間早める<u>サマータイム</u>を実施しているところがある。

地形の種類

□□□ **13 ★★** 先カンブリア時代に造山運動を受けたが、その後は激しい地殻変動がなかった地域を<u>安定陸塊</u>と呼ぶ。浸食作用が進み、起伏も小さくなり、大平原や高原になっているところが多い。

□□□ **14 ★★** <u>古期造山</u>帯は古生代に造山運動を受けた地域で、浸食が進み、低くなだらかな山脈が多い。アパラチア山脈やウラル山脈はその代表である。

□□□ **15 ★★** <u>新期造山</u>帯は中生代から現在まで造山運動を続けている山脈で、高く険しい山脈が多い。アルプス・ヒマラヤ造山帯と環太平洋造山帯がこれにあたり、日本列島は環太平洋造山帯の一部である。

□□□ **16 ★** 日本列島は日本海側の糸魚川と駿河湾に面した静岡を結ぶ糸魚川・静岡構造線によって東北日本と西南日本に分けられ、この構造線を西縁として<u>フォッサマグナ</u>（「大きな溝」の意）と呼ばれる大地溝帯が走っている。

□□□ **17** インドの<u>デカン</u>高原などにみられる粘性の低い溶岩が重なりあって作られる広大な台地を溶岩台地と呼ぶ。

165

□□□ **18 ★** 火山の爆発で生じる噴火口より大きなくぼ地をカルデラ
と呼ぶ。阿蘇カルデラや鹿児島湾周辺に位置する<ruby>姶良<rt>あいら</rt></ruby>カ
ルデラはその代表である。カルデラの内部に水が溜まっ
てできた湖がカルデラ湖である。

□□□ **19** 準平野や構造平野など、陸地が長い間浸食されて作られ
た、古い岩盤や地層からなる大規模な平野を浸食平野と
呼ぶ。

□□□ **20 ★** 構造平野には、硬い岩石や地層が浸食に取り残されてで
きる特異な地形がみられる。その代表はパリ盆地にみら
れるケスタで、一方が急な崖を、他方が緩やかな斜面を
なす非対称の丘陵をなしている。

□□□ **21** <ruby>沖<rt>ちゅうせき</rt></ruby>積平野や海岸平野、<ruby>洪<rt>こうせき</rt></ruby>積台地など、河川が運搬して
きた土砂が堆積して作られた、比較的新しい小規模な平
野を堆積平野と呼ぶ。日本の平野は大部分が堆積平野で
ある。

□□□ **22 ★★** 沖積平野は河川の堆積作用によって作られた平野で、山
麓には<ruby>扇状地<rt>せんじょうち</rt></ruby>が、河川の中下流域には氾濫原が、<ruby>河口<rt>さんかくす</rt></ruby>
付近には三角州が作られる。

□□□ **23** 扇状地は砂礫質で緩やかに傾斜していて、水が得やすい
<ruby>扇端<rt>されき</rt></ruby>では水田や集落が、水が得にくい扇央では畑や果樹
園が営まれている。

□□□ **24 ★★** 扇状地の中ほどにある扇央は砂礫の堆積層が厚く、河川
の水が地下にしみ込んで伏流となる<ruby>水無川<rt>みずなしがわ</rt></ruby>が作られるこ
とが多い。乾燥地帯のワジも水無川の一種である。

□□□ **25** 氾濫原では河岸に周囲の低地よりもわずかに高い自然堤
防ができ、その背後には泥が堆積した後背湿地ができる。

□□□ **26 ★★** 三角州は砂泥質で地盤が軟弱、水はけが悪いが、<ruby>肥沃<rt>ひよく</rt></ruby>な
沖積土からなるため水田や牧草地に適している。

□□□ **27** 離水海岸は、土地の隆起や海面の低下で形成されたもので、海岸線は単調で水深は浅いのが特徴である。海岸平野や海岸段丘（だんきゅう）が例としてあげられる。

□□□ **28** 沈水（ちんすい）海岸は、土地の沈降や海面の上昇で形成されたもので、水深が深く入り組んだ海岸線が特徴である。リアス式海岸、フィヨルド、エスチュアリー（三角江（こう））が例としてあげられる。

□□□ **29 ★** リアス式海岸は、壮年期の険しい山地が沈降したもので、尾根が岬、V字谷が入江になった鋸歯（きょし）状の海岸線を持った海岸である。スペイン北西部や日本の三陸海岸などがその例としてあげられる。

□□□ **30 ★** フィヨルドは、U字谷に海水が侵入してできたもので、リアス式海岸以上に湾奥（わんおう）が広く細長い湾を形成している。ノルウェー西岸、チリ南部西岸、ニュージーランド南島西岸などがその例としてあげられる。

□□□ **31 ★** エスチュアリー（三角江）は、平野を流れる河川の河口部が沈水して形成されたもので、ラッパ状の河口を持つ。テムズ川、エルベ川、ラプラタ川などがその例としてあげられ、水深が深く平野も広いため、港湾都市や工業地域が発達しやすい。

□□□ **32 ★** 沿岸流が運搬した土砂がかぎ状に堆積した地形を砂嘴（さし）といい、これが発達して湾口を閉じるように伸びると砂州（さす）になる。砂州は内側にラグーン（潟湖（せきこ））を形成する。

□□□ **33** 砂州によって陸地とつながった島を陸繋島（りくけいとう）と呼ぶ。

□□□ **34** サンゴ礁はサンゴ虫の遺骸や分泌物からできた石灰質の岩礁で、裾礁（きょしょう）・堡礁（ほしょう）・環礁に分けられる。

□□□ **35 ★★** 裾礁は海岸に密着して海岸を取り巻く形状のもの、堡礁は島の周囲を防波堤状に取り巻いて発達したもの、礁湖（しょうこ）を取り巻いて環状に発達した形状のサンゴ礁が環礁である。

167

□□□ **36** V字谷は河川の浸食により形成され、U字谷は氷河の浸食により形成される。

□□□ **37 ★★** 氷食作用により山頂付近にできる馬蹄形（ばていけい）のくぼ地をカールと呼ぶ。カールが複数できることにより、ホルン（ホーン）と呼ばれるとがった峰になる。

□□□ **38 ★** 氷河に削り取られた岩くずが運搬されて形成される堆積地形をモレーン（氷堆石（ひょうたいせき））と呼ぶ。

□□□ **39 ★★** 石灰岩地域では二酸化炭素を含む雨水の溶食作用により、ドリーネと呼ばれるすり鉢状のくぼ地や、ドリーネがつながったカルスト地形のウバーレが作られる。

□□□ **40 ★** 日本の有名なカルスト地形に山口県の秋吉台（あきよしだい）がある。地下には鍾乳洞の秋芳洞があり、観光名所となっている。

> 「カルスト」はスロベニアのクラス地方
> （石灰岩台地）が語源です

気候要素と気候因子

□□□ **41** 気候を構成する、気温・降水量・風の他、日照時間・気圧・湿度などの大気現象を気候要素と呼ぶ。

□□□ **42** 緯度・海抜高度・地形・海流などの気候因子の違いにより、世界の各地域にさまざまな気候の特色が現れる。

□□□ **43 ★** 気温の年較差は、高緯度の大陸内部では大きく、低緯度の沿岸部では小さい。

□□□ **44 ★** 赤道付近の熱帯地域は日射を多く受けるため、空気が暖められて上昇気流が生じ、赤道低圧帯（熱帯収束帯）となる。

□□□ **45** ★ 赤道付近で上昇した大気が緯度 20 〜 30 度付近で<u>下降</u>することで形成される高圧部を、亜熱帯高圧帯と呼ぶ。

□□□ **46** 赤道低気圧帯の影響を受けると<u>多雨</u>となり、亜熱帯高圧帯の影響を受けると<u>少雨</u>となる。

□□□ **47** ★★ <u>亜熱帯高圧帯</u>から極方向へ吹く風を<u>偏西風</u>と呼ぶ。

□□□ **48** 偏西風帯の上部に位置し、風速の特に速い部分を<u>ジェット気流</u>と呼ぶ。

□□□ **49** ★★ 亜熱帯高圧帯から赤道低気圧帯方向へ吹く風は帆船時代に航海に使われたため<u>貿易風</u>と呼ばれる。

□□□ **50** ★★ 海と陸の暖まりやすさ、冷えやすさの違いから、冬は陸から海へ、夏は海から陸へと風向きを変える風のことを、<u>季節風</u>（モンスーン）と呼ぶ。

□□□ **51** ベンガル湾やインド洋で発生し、バングラデシュやインドを襲う熱帯低気圧を<u>サイクロン</u>、カリブ海で発生し、メキシコ湾岸など北アメリカを襲う熱帯低気圧をハリケーンと呼ぶ。

□□□ **52** ★★ 特定の地域の地形的な要因によって吹く、その地域特有の風を<u>局地風</u>と呼ぶ。

□□□ **53** ★ 春から夏にかけて地中海から吹く風がアルプス山脈を越える際に生じる高温乾燥な風を<u>フェーン</u>と呼ぶ。

□□□ **54** サハラ砂漠から地中海を渡ってイタリアへ吹く高温多湿の南風を<u>シロッコ</u>と呼ぶ。

□□□ **55** 冬から春にかけてフランスの地中海沿岸に吹く寒冷な北風を<u>ミストラル</u>と呼ぶ。

□□□ **56** アドリア海沿岸や黒海沿岸に吹く寒冷な乾燥風を<u>ボラ</u>と呼ぶ。

□□□ **57** 台風や低気圧により、海水面が上昇する現象を<u>高潮</u>と呼ぶ。

気候区分

□□□ **58** ★ 熱帯気候で、年中高温多湿で密林が茂り、赤道付近に分布する気候を<u>熱帯雨林気候</u>と呼ぶ。

□□□ **59** ★★ 熱帯気候で、雨季と乾季があり、丈の長い草原が広がる気候を<u>サバナ気候</u>と呼ぶ。

□□□ **60** 乾燥帯気候で、降水量がほとんどなく、気温の日較差が大きい気候を<u>砂漠気候</u>と呼ぶ。

□□□ **61** ★★ 乾燥帯気候で、やや雨が降り、丈の短い草が生える気候を<u>ステップ気候</u>と呼ぶ。

□□□ **62** ★★ 温帯気候で、夏に乾燥して冬は比較的雨が多い気候を<u>地中海性気候</u>と呼ぶ。

□□□ **63** ★★ 温帯気候で、偏西風と暖流の影響を受けるため気温の年較差が小さく、年間を通じて平均的な降水がみられる気候を、<u>西岸海洋性気候</u>と呼ぶ。

□□□ **64** 温帯気候で、季節風の影響で年中湿潤、夏に高温となる気候を、<u>温暖湿潤気候</u>と呼ぶ。

□□□ **65** ★★ 寒帯気候で、夏季に永久凍土の表層が溶け、コケや小低木が生育する気候を<u>ツンドラ気候</u>と呼ぶ。

□□□ **66** 寒帯気候で、一年中雪や氷に覆われ、草も木も生えない気候を、<u>氷雪気候</u>と呼ぶ。

植生と土壌

□□□ **67** 南アメリカのアマゾン盆地に分布する熱帯雨林のことを<u>セルバ</u>と呼ぶ。

□□□ **68** 疎林（そりん）と長草草原が分布している熱帯草原をサバナといい、南米のオリノコ川流域では<u>リャノ</u>、ブラジル高原ではカンポ、アルゼンチン北部ではグランチャコと呼ぶ。

□□□ **69**　草原の代表的なものに、中央ユーラシアのステップ、北アメリカのプレーリー、南アメリカの<u>パンパ</u>がある。

□□□ **70**　冷帯地域には、タイガと呼ばれる針葉樹林が広がっている。タイガの地域には、酸性が強く灰白色の痩せた土壌の<u>ポドゾル</u>が分布している。

□□□ **71**　熱帯から亜熱帯にかけては、鉄分やアルミニウムを多く含み、酸性が強く赤色の土壌である<u>ラトソル</u>（ラテライト）が分布する。

□□□ **72 ★**　半乾燥のステップ気候の地域には、肥沃な黒色土が分布している。その代表は、ウクライナからロシアにかけての<u>チェルノーゼム</u>、北アメリカのプレーリー土、アルゼンチンのパンパ土である。

□□□ **73 ★**　インドのデカン高原に分布する、綿花栽培に適した黒色土を<u>レグール</u>土と呼ぶ。

□□□ **74 ★**　地中海沿岸に分布する、オリーブ栽培に適した、石灰岩が風化してできる赤色土を<u>テラロッサ</u>と呼ぶ。

□□□ **75 ★**　ブラジル高原の南部に分布し、肥沃でコーヒー栽培に適している、玄武岩が風化してできた赤紫色の土のことを<u>テラローシャ</u>と呼ぶ。

✅ ひと口コラム

ケスタ地形の代表にパリ盆地やロンドン盆地があります。パリ北東部にあるシャンパーニュ地方は、ケスタ地形を利用したブドウの栽培が盛んで、スパークリングワインのシャンパンで知られています。水はけの良い斜面がブドウの栽培に適しているというわけです。

合格者のまとめノート

4-01 地形と気候

✓ 地図の種類

● **メルカトル図法**

角度が正しく、緯線と経線が直角に交わる。高緯度ほど面積が大きくなり、等角航路が直線で表される。航海図に使用。

● **正距方位図法**

図の中心からの距離・方位が正しく最短コース（大圏コース）がわかる。航空図に使用。

● **正積図法**　　面積が正しく表される。分布図に使用。
①サンソン図法、②モルワイデ図法、③ホモロサイン図法がある。

①サンソン図法　　　　　　　　②モルワイデ図法

経線がサインカーブで、
周辺部のゆがみが大きい。

経線が楕円で、サンソン図法よりも
周辺部のゆがみは小さい。

③ホモロサイン（グード）図法

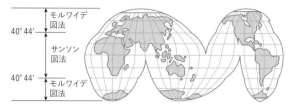

低緯度でサンソン図法、高緯度でモルワイデ図法を使用。主に海洋部分で断裂
されている。

✓ 安定陸塊と造山帯

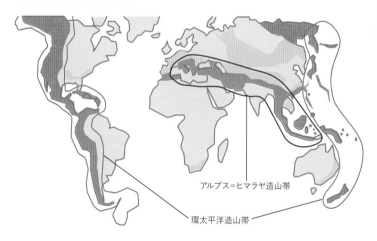

アルプス＝ヒマラヤ造山帯

環太平洋造山帯

☐ 安定陸塊……先カンブリア時代

▨ 古期造山帯…古生代〜中生代はじめ。アパラチア山脈、ウラル山脈、
　　　　　　　グレートディヴァイディング山脈など

■ 新期造山帯…中生代末〜新生代。
　　　　　　　環太平洋造山帯、アルプス・ヒマラヤ造山帯

✓ 平野

● 準平原と構造平野

ケスタ
ゆるやかに傾斜し、柔らかい地層と硬い地層が交互に重なった地層が侵食され、その後に硬い地層が残って形づくられた丘陵。パリ盆地、ロンドン盆地など。

残丘（モナドノック）
侵食から取り残された硬い岩石でできた丘。
ウルル（エアーズロック）など。

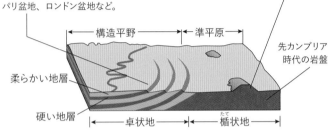

浸食平野…長年の浸食で形成。準平原、<u>構造平野</u>
堆積平野…土砂が堆積して形成。沖積平野、洪積台地、海岸平野

● 扇状地

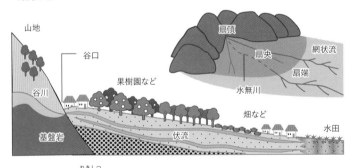

山麓に見られ、礫質（れきしつ）で緩やかな傾斜が特徴。
扇端と扇頂は水田・集落、扇央は畑・果樹園

✓ 海岸地形

リアス式海岸
（スペイン）

フィヨルド
（ノルウェー）

エスチュアリー
（ドイツ）

地形名	特徴	主な場所
リアス式海岸	山地が沈水。V字谷が入江、尾根が岬の鋸歯状海岸線	スペイン北西部、<u>三陸海岸</u>、若狭湾沿岸
<u>フィヨルド</u>	湾奥が広く、細長い湾	スカンディナビア半島西岸、チリ南西部、アラスカからカナダ太平洋岸
エスチュアリー	河口部が沈水。ラッパ状の河口で、平野が広い	セーヌ川、エルベ川、<u>ラプラタ川</u>

✓ 氷河地形

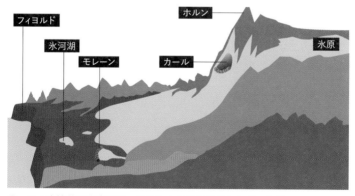

<u>カール</u>：半椀状の氷食凹地　ホルン：氷食でできたとがった峰
モレーン：氷河に運搬された岩屑がつくる堆積地形
氷河湖・氷河作用によってできた湖　<u>フィヨルド</u>・氷食谷に海水が侵入したもの

✓土壌

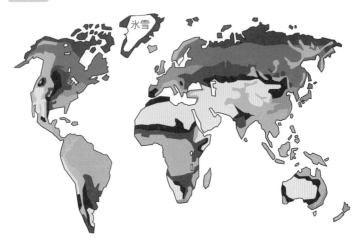

■ ツンドラ土　■ 褐色森林土　■ 栗色土　■ ラトソル・赤黄色土
■ ポドゾル　■ 黒土※　□ 砂漠土　■ 山岳土

※ チェルノーゼム・プレーリー土 など

●主な間帯土壌

土壌名	岩	色	栽培	場所
<u>テラロッサ</u>	石灰岩	赤	果樹栽培	地中海沿岸
テラローシャ	玄武岩	赤紫	肥沃で<u>コーヒー</u>栽培	ブラジル高原
レグール土	玄武岩	黒	肥沃で<u>綿花</u>栽培	デカン高原

「間帯土壌」は分布が限定される
その地域特有の土壌です

✔ ケッペンの気候区分

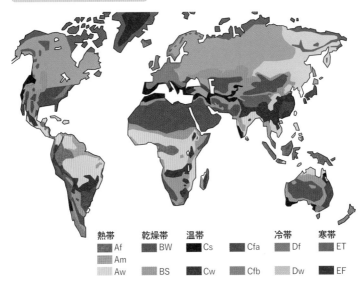

熱帯	乾燥帯	温帯		冷帯	寒帯
Af	BW	Cs	Cfa	Df	ET
Am					
Aw	BS	Cw	Cfb	Dw	EF

● 樹林気候

熱帯（A）：最寒月でも月平均気温18℃以上
<u>熱帯雨林</u>（Af）/熱帯モンスーン（Am）/サバナ（Aw）
温帯（C）：最寒月平均気温－3℃以上18℃未満
<u>地中海性</u>（Cs）/温暖冬季少雨（Cw）/温暖湿潤（Cfa）/<u>西岸海洋性</u>（Cfb）
冷帯（亜寒帯）（D）：最寒月平均気温－3℃未満、最暖月平均気温10℃以上
冷帯湿潤（Df）/冷帯冬季少雨（Dw）

● 無樹林気候

乾燥帯（B）：最暖月の平均気温10℃以上（≠寒帯）、年平均降水量が乾燥限界値未満
ステップ（BS）/砂漠（BW）　※年平均降水量が乾燥限界値の1/2以上はBS、1/2未満はBW
寒帯（E）：最暖月平均気温10℃未満
ツンドラ（ET）/<u>氷雪</u>（EF）

4-02 | 世界の農業とヨーロッパの国々

農業は気候の影響を大きく受けていることが多く、人口など社会に
影響を与えていることも多いので関連して覚えましょう。

農業の生産性と地域区分

優先度：★★＞★＞無印

☐☐☐ **1 ★** 農地に対する労働力や資本の投下量を大きくすると、土地生産性は高まる。

☐☐☐ **2 ★** 栽培技術の進歩や大規模機械化によって労働生産性は高まる。

☐☐☐ **3 ★★** 単位面積当たりの労働力や肥料の投下が多く、土地の利用度が高い農業を集約的農業と呼ぶ。

☐☐☐ **4 ★★** 農業者が自家消費用に生産する形態の農業を自給的農業と呼ぶ。

☐☐☐ **5** 遊牧は乾燥・半乾燥地帯やツンドラ地帯で営まれ、羊やヤギを中心に、ラクダ、馬、ヤクなど地域に合った家畜を飼育している。

☐☐☐ **6 ★★** 熱帯雨林地域で森林を焼き、イモ類やバナナなどを栽培する農業を、焼畑農業と呼ぶ。

☐☐☐ **7 ★** 砂漠やステップの湧水地や灌漑により、小麦・大麦・なつめやし・綿花などを栽培する農業を、オアシス農業と呼ぶ。

☐☐☐ **8 ★** イランの乾燥地域にみられる地下用水路をカナートと呼ぶ。

☐☐☐ **9** モンスーンアジアで行われる集約的稲作農業は、労働集約的で土地生産性が高い。

□□□ **10** 中国の東北や華北、インドのデカン高原など、やや降水量が少なく水はけの良い台地では、小麦・綿花・<u>トウモロコシ</u>などの集約的<u>畑作</u>農業の地域が広がっている。

□□□ **11** 産業革命以降、都市への人口集中が進行すると、農産物の販売を目的とする農業が広まった。この形態の農業を<u>商業的農業</u>と呼ぶ。

□□□ **12 ★** 混合農業は、農地を3分して夏作地・冬作地・休閑地を毎年交換する中世ヨーロッパの<u>三圃式</u>農業が発展したものである。

□□□ **13 ★★** フランスやドイツなどの北西ヨーロッパでは、穀物栽培と家畜飼育を組み合わせた混合農業が行われている。混合農業から穀物栽培を切り離し、牛乳やバターなどの生産に特化した農業が<u>酪農</u>である。

□□□ **14 ★★** オランダなどヨーロッパの大都市周辺では園芸農業がみられる。野菜や<u>花卉</u>を栽培し、かつては<u>近郊農業</u>の代表であった園芸農業も、現在は生産技術と輸送機関の発達によって、都市の遠隔地でも行われるようになった。

□□□ **15 ★★** 夏に高温乾燥となる地中海性気候の分布地域では、冬の温暖湿潤な気候を利用して小麦を栽培し、夏は高温乾燥に耐えうるオリーブやコルク、オレンジ（柑橘）類などをはじめとする樹木作物を栽培している。この形態の農業を<u>地中海式農業</u>と呼ぶ。

□□□ **16** <u>商業的農業</u>が発展し大規模化したもので、大資本と最新技術が導入される形態の農業を企業的農業と呼ぶ。企業的農業はヨーロッパ市場を背景にして、新大陸で発展したため<u>輸出</u>指向が強い。

□□□ **17** 広大な農地が確保できるアメリカ・カナダ・オーストラリア・アルゼンチンでは、収穫された小麦や<u>トウモロコシ</u>が世界各地に<u>輸出</u>されている。

□□□ **18★** アルゼンチンでは、19世紀後半の**冷凍船**の就航以来、肉類の長距離輸送が可能になり、企業的牧畜が急速に発展した。

□□□ **19★** プランテーション農業では、ヨーロッパ人が資本を投下し、現地人の安い労働力を利用して、主に欧米先進国向けの熱帯性作物を**モノカルチャー**(単一耕作)で栽培した。

主な農作物

□□□ **20★★** 米はアジアでの生産量が世界の90%以上と多く、自給的な性格が強い。米には東アジアなどの水田で作る水稲、東南アジアの大河川の下流域で作る浮稲、畑で作る陸稲がある。

□□□ **21★★** 小麦は西アジアが原産地で、パンやパスタなどの麺類に加工され主食となっている。米より広い範囲で栽培され、多くの地域で主食とされているため輸出量が多い。

□□□ **22★★** 冬小麦は、秋に種をまき、冬に発芽し、翌年の夏に収穫する。そのため冬に寒冷な地域では成長できず、温暖な地域で栽培される。春小麦は、春に種をまくと、すぐ発芽し、秋には収穫できる。そのため冬に寒冷な地域でも栽培が可能である。

□□□ **23** 黒パンやウィスキーの原料になるのは**ライ**麦で、オートミールの材料になるのはエン麦である。

□□□ **24★★** **トウモロコシ**は中南米が原産地で、食用・飼料用・工業用としての用途があるため世界各地で栽培される。アメリカでは五大湖南岸地域から**アイオワ**州にかけて栽培されている。最近はバイオ燃料の原料としての利用も拡大している。

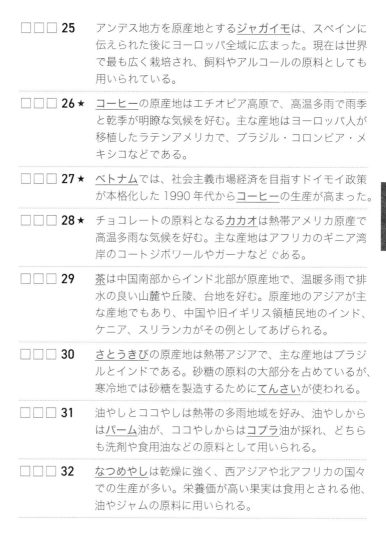

□□□ **25** アンデス地方を原産地とする<u>ジャガイモ</u>は、スペインに伝えられた後にヨーロッパ全域に広まった。現在は世界で最も広く栽培され、飼料やアルコールの原料としても用いられている。

□□□ **26 ★** <u>コーヒー</u>の原産地はエチオピア高原で、高温多雨で雨季と乾季が明瞭な気候を好む。主な産地はヨーロッパ人が移植したラテンアメリカで、ブラジル・コロンビア・メキシコなどである。

□□□ **27 ★** <u>ベトナム</u>では、社会主義市場経済を目指すドイモイ政策が本格化した 1990 年代から<u>コーヒー</u>の生産が高まった。

□□□ **28 ★** チョコレートの原料となる<u>カカオ</u>は熱帯アメリカ原産で高温多雨な気候を好む。主な産地はアフリカのギニア湾岸のコートジボワールやガーナなどである。

□□□ **29** <u>茶</u>は中国南部からインド北部が原産地で、温暖多雨で排水の良い山麓や丘陵、台地を好む。原産地のアジアが主な産地でもあり、中国や旧イギリス領植民地のインド、ケニア、スリランカがその例としてあげられる。

□□□ **30** <u>さとうきび</u>の原産地は熱帯アジアで、主な産地はブラジルとインドである。砂糖の原料の大部分を占めているが、寒冷地では砂糖を製造するために<u>てんさい</u>が使われる。

□□□ **31** 油やしとココやしは熱帯の多雨地域を好み、油やしからは<u>パーム</u>油が、ココやしからは<u>コプラ</u>油が採れ、どちらも洗剤や食用油などの原料として用いられる。

□□□ **32** <u>なつめやし</u>は乾燥に強く、西アジアや北アフリカの国々での生産が多い。栄養価が高い果実は食用とされる他、油やジャムの原料に用いられる。

4th Subject

地理

181

□□□ **33 ★★** イギリスは高緯度に位置するが、北大西洋海流の影響で大部分の気候が<u>西岸海洋性気候</u>である。

□□□ **34** ロンドン郊外の旧グリニッジ天文台を通る<u>本初子午線</u>を基準とした時刻をグリニッジ標準時（世界標準時）と呼ぶ。

□□□ **35 ★★** イギリスのランカシャー地方にある<u>マンチェスター</u>は産業革命発祥の地で、当時は新興の綿工業都市として発展した。近年はハイテク産業も集積している。

□□□ **36 ★** 20世紀半ば、ロンドンの過密状態を解消するために行われた首都圏整備計画を<u>大ロンドン計画</u>と呼ぶ。既成市街地の周辺にグリーンベルトを設け、その外側にニュータウンを建設した。

□□□ **37 ★** テムズ川の沿岸に位置する<u>ドックランズ</u>と呼ばれる地域は、1980年代に再開発がはじまり、新しくオフィスビルやコンベンションセンター、マンションなどの施設が数多く建設された。

□□□ **38** イギリスの首都ロンドンにある<u>シティ</u>は世界金融の中心地である。

□□□ **39 ★★** ロッテルダムは、世界有数の貿易港<u>ユーロポート</u>を擁するオランダの商工業都市であり、オランダの商業や流通の中心である。

□□□ **40 ★** オランダの首都<u>アムステルダム</u>は同国最大の都市であり、政治の中心地は王宮と政府所在地のハーグである。

□□□ **41 ★★** オランダは干拓地の<u>ポルダー</u>が国土の4分の1を占め、<u>園芸農業</u>と酪農が盛んである。

□□□ **42 ★★** パリ盆地にみられる、差別浸食により形成された<u>急崖</u>と緩斜面からなる丘陵を<u>ケスタ</u>と呼ぶ。

□□□ **43** パリ郊外には5つの<u>ニュータウン</u>が建設され、住民は鉄道や高速道路でパリ中心部に通勤している。

□□□ **44** ★★ 小麦の輸出国として知られるヨーロッパ最大の農業大国<u>フランス</u>は、南部で果樹園芸農業、北部では混合農業や酪農が盛んである。

□□□ **45** ★★ <u>フランス</u>やスペインの南部には<u>地中海性</u>気候が分布し、北部は偏西風の影響で1年中降水量があり、夏は涼しく冬は温暖な<u>西岸海洋性</u>気候が分布している。

□□□ **46** ★★ <u>ベルギー</u>では、南部のフランス系ワロン人と北部のオランダ系フラマン人との間で言語紛争が続いていて、フランス語・フラマン語・ドイツ語の3言語が使われている。

フランスは原子力発電の比重が高いことでも知られています

中央ヨーロッパの国々

□□□ **47** ★ オーストリアの首都<u>ウィーン</u>は、ハプスブルク家が支配したオーストリア・ハンガリー帝国の中心として栄えた音楽の都として知られている。現在はオーストリアが永世中立国であるため、国際原子力機関（IAEA）など国際機関の本部が集まっている。

□□□ **48** <u>ポーランド</u>は東ヨーロッパ北部に位置し、バルト海に面する平原の国である。国土の約半分は耕地化され、小麦・エン麦・ライ麦・ジャガイモなどを生産している。首都はワルシャワである。

□□□ **49** ハンガリーは国土の大部分をハンガリー盆地が占め、小麦・トウモロコシの栽培と、牛・豚の飼育などの<u>混合農業</u>が盛んである。ボーキサイトの生産が多く、機械や化学などの工業も発達している。

□□□ **50 ★** ヨーロッパ中部に位置する<u>チェコ</u>は、ビール（ピルスナー）の製造やボヘミアンガラスが知られている。首都のプラハ歴史地区は世界遺産に登録されていて観光収入も多い。

□□□ **51 ★★** スイスの公用語は、ドイツ語・フランス語・イタリア語・<u>ロマンシュ語</u>の４つである。

□□□ **52** スイスで多数の銀行が集中する国際金融市場の１つはチューリヒで、国連の諸機関や赤十字社など多くの国際機関が本部や支部を置くのは<u>ジュネーヴ</u>である。

□□□ **53** スイスの国土の中南部はアルプス山系の中心と重なり、重要な観光資源となっている。酪農も盛んで、山地では<u>移牧</u>もみられる。

□□□ **54 ★** スイスは永世中立国であるが、2002 年に国連に加盟している。首都は<u>ベルン</u>である。

□□□ **55** ドイツの国土の北部は低地、東部は湖が多く、中部は平野・丘陵・森林、南部はアルプス山岳からなり、気候は全体が西岸海洋性気候である。第二次世界大戦後に東西に分割され、<u>1990</u> 年に統一された。

□□□ **56 ★★** ドイツの首都<u>ベルリン</u>は、第二次世界大戦前も首都であったが、戦後、東西に分割されると、東側の首都になり、西側の首都はボンに置かれた。

□□□ **57 ★★** ドイツの金融都市フランクフルトには、ユーロを発行する<u>欧州中央</u>銀行（ECB）の本部と、世界の国際線の重要なハブ空港であるフランクフルト空港がある。

□□□ **58★** ドイツの**ゾーリンゲン**は、イギリスのシェフィールド、日本の関市と並ぶ刃物工業都市である。

□□□ **59★** ライン川の支流であるネッカー川の沿岸に位置する**シュツットガルト**では、自動車（メルセデスベンツやポルシェ）・光学機械などの工業が発達している。

□□□ **60★** ドイツ南東部に位置する**ミュンヘン**では、ビール醸造や電気機械・精密機械などの工業が発達している。

> 1989年にベルリンの壁が崩壊し、
> 1990年に東西ドイツが統一しました

南ヨーロッパの国々

□□□ **61★** **バチカン市国**は、イタリアの首都ローマ市内にある世界最小の独立国で、人口は1,000人に満たないが、カトリック世界の中心である。

□□□ **62** イタリアでは農業の経営規模の地域格差が大きく、北部では大規模な企業的農業が発達しているが、南部では零細な農家が多くみられる。

□□□ **63** イタリアの**ミラノ**は、ポー川沿いに広がるロンバルディア平原の北西部に位置していて、イタリア商工業の中心地である。

□□□ **64★★** トリノ、ヴェネツィア、ボローニャ、フィレンツェといった伝統的な技術を持った職人が集まる地域のことを、近代工業が発達した北部や農業中心の南部との違いから、**サードイタリー**（第三のイタリア）と呼ぶ。

□□□ **65** **スペイン**は国土面積の大部分が高原地帯で、海岸リゾートを中心にヨーロッパを代表する観光国となっている。

□□□ **66 ★★** スペインのカタルーニャから南フランスにかけての地中海沿岸地域は、航空機や電子機器など技術集約型産業や研究施設が数多く集まり、ヨーロッパの<u>サンベルト</u>と呼ばれている。

□□□ **67** <u>ギリシャ</u>の国土の大半は地中海性気候で、オリーブ栽培などの地中海式農業が盛んである。古代文明発祥の地でもあり多数の島々を擁している。海運業や観光による収入が多いが、2010年には経済危機が発生した。

□□□ **68 ★** 大航海時代において香辛料の貿易を独占したことで栄えた<u>ポルトガル</u>は、オリーブ・ぶどう・コルクがしの生産に特色を持つ農業国である。北部の河口近くに、ワイン（ポートワイン）の産地と積出港である港湾都市ポルトがある。

> イタリアやスペインでは工業化も進み
> 特色ある産業が発展しています

北ヨーロッパの国々

□□□ **69 ★** <u>ノルウェー</u>の海岸線にはフィヨルドが発達している。北部のロフォーテン諸島では、たら漁が盛んで、世界有数の漁業国であり海運業も発達している。

□□□ **70 ★★** 北海にある海底油田の総称を<u>北海</u>油田といい、<u>イギリス・ノルウェー</u>の他、オランダやデンマークの水域内にも広がっている。

□□□ **71** 北海の中央には<u>ドッガーバンク</u>やグレートフィッシャーバンクなどの好漁場が広がっている。

□□□ **72** スウェーデン北部に位置する<u>キルナ</u>は、良質の磁鉄鉱を産出するスウェーデン最大の鉄鉱山である。

□□□ **73 ★** 高齢化が早くから進行したスウェーデンは、1950年代以降、医療制度や高齢者<u>福祉</u>の充実を進めてきた。育児休暇や保育施設などの子育て支援も充実しているため、女性の社会進出も盛んである。

□□□ **74 ★★** フィン語でスオミ（湖と沼の国）といい、約19万の湖を抱える豊かな森林の国は<u>フィンランド</u>である。

□□□ **75 ★★** デンマークでは<u>協同組合</u>組織での酪農が発達していて、肉類は有力な輸出品となっている。

✅ ひと口コラム

地中海式農業の特徴を整理すると、乾燥する夏は耐干性の果樹作物を栽培し、雨の降る冬には小麦の栽培と、羊やヤギの移牧になります。代表的な作物のうち、ブドウとコルクがしを並べてみると、そのつながりがよくわかります。コルクがしの樹皮は、ブドウから作られるワインのコルク栓になりますね。

合格者のまとめノート

4-02　世界の農業と　ヨーロッパの国々

✓ 世界の農業地域

● **自給的農業**（開発途上地域中心）

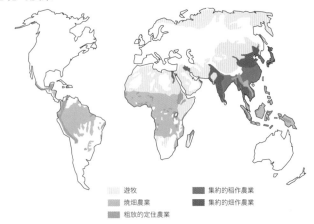

遊牧		集約的稲作農業
焼畑農業		集約的畑作農業
粗放的定住農業		

	主な内容	地域
遊牧	水・牧草を求めて移動	アジア、アフリカの乾燥地帯、北極海沿岸
オアシス農業	オアシスで小麦・なつめやし栽培	アジア、アフリカの乾燥地帯
焼畑農業	森林を焼いて草木灰を肥料にしてイモ類を栽培	アジア、アフリカ、南米、オセアニアの熱帯地域
伝統的な農業	年降水量1,000mm以上は「集約的稲作」、1,000mm未満は「集約的畑作」	モンスーン気候の東アジア、東南アジア、南アジア

●商業的農業 （先進地域中心）

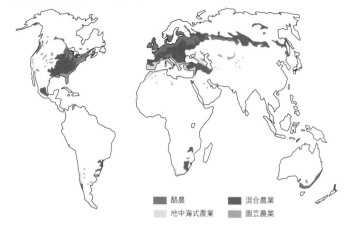

■ 酪農　　　　　　　■ 混合農業
▦ 地中海式農業　　　▨ 園芸農業

	主な内容	地域
混合農業	小麦など食用穀物と飼料を栽培。牛・豚の飼育	北西ヨーロッパ（フランス・ドイツ）、コーンベルト（アメリカ）、パンパ（アルゼンチン）
酪農	乳製品	北海・バルト海沿岸、五大湖沿岸、アルプス
園芸農業	野菜、果実、花卉。近郊農業	大都市の近郊、オランダ
地中海式農業	オリーブ・柑橘類、冬季に小麦。羊・ヤギを飼育	地中海沿岸、カリフォルニア（アメリカ）

都市への生産物の販売を主とした農業が商業的農業です

● 企業的農業 (輸出向け)

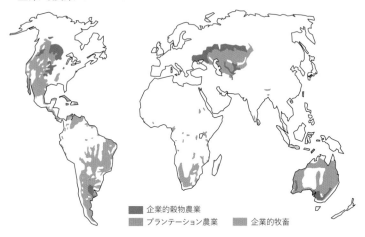

■ 企業的穀物農業
■ プランテーション農業　■ 企業的牧畜

	主な内容	地域
企業的穀物農業	大型機械での小麦栽培	黒色土 (アメリカのプレーリー、アルゼンチンのパンパ、ウクライナからロシアにかけてのチェルノーゼム、オーストラリア)
企業的牧畜	牛・羊の放牧	グレートプレーンズ (アメリカ)、パンパ (アルゼンチン)、オーストラリア、ニュージーランド
プランテーション農業	先進国向けに熱帯性作物栽培	熱帯・亜熱帯地域沿岸部

企業的農業は商業的農業がより
発展して大規模になったものです

✓ 3 大穀物

米は自給的、小麦・トウモロコシはアメリカの輸出が大きい

①**米**：夏に高温多雨、年降水量 1,000mm 以上

　　　世界の 90%以上がモンスーンアジア

②**小麦**：年降水量 500mm、黒色土

　　　　春小麦（寒冷）、冬小麦（温暖）

③**トウモロコシ**：温暖な気候、年降水量 1,000mm

　　　　　食料、飼料、<u>バイオ燃料</u>

✓ アメリカの農業区分

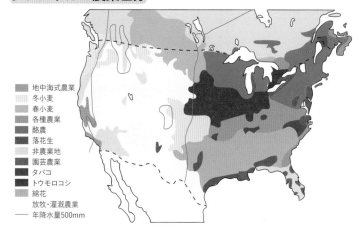

地中海式農業
冬小麦
春小麦
各種農業
酪農
落花生
非農業地
園芸農業
タバコ
トウモロコシ
綿花
放牧・灌漑農業
―― 年降水量500mm

・**酪農地帯（デイリーベルト）**：五大湖沿岸・ニューイングランド

・**コーンベルト**：<u>アイオワ</u>のプレーリー、トウモロコシ

・**春小麦地帯**：カナダにまたがる冷涼な地域

・**冬小麦地帯**：温暖なプレーリー

・**コットンベルト**：温暖な南東部（アラバマ州など）、

　　　　　　　　　以前のプランテーション（黒人奴隷を使用）

・**園芸農業**：大西洋岸、野菜や果実を都市に

・**企業的牧畜**：グレートプレーンズ、ロッキー山脈、牧牛

・<u>**地中式農業**</u>：カリフォルニア、地中海性気候を利用、果樹

✔ ヨーロッパの主な国々

国名	首都	キーワード
イギリス	ロンドン	18世紀後半世界で最初に産業革命=「世界の工場」に、北海油田、農業の経営規模が大きい
ドイツ	ベルリン	ヨーロッパ最大の工業国、ルール工業地帯、混合農業
オランダ	アムステルダム	国土の4分の1がポルダー、園芸農業と酪農、ライン川の河口にユーロポート
フランス	パリ	ヨーロッパ最大の農業国、小麦・トウモロコシなどの穀物を輸出、北部で混合農業、南部で地中海式農業、パリ大都市圏に工業地域
イタリア	ローマ	南北の経済格差が大きい、サードイタリー（第三のイタリア）、北部で混合農業、南部で地中海式農業、ぶどうの生産
スウェーデン	ストックホルム	社会保障制度が充実
デンマーク	コペンハーゲン	酪農が盛ん、協同組合組織での肉類・酪製品
スイス	ベルン	4つの公用語（ドイツ語・フランス語・イタリア語・ロマンシュ語）、永世中立国、観光業、精密機械工業、国際金融市場（チューリヒ）
スペイン	マドリード	地中海式農業でオリーブの生産、メセタで牧羊
チェコ	プラハ	ガラス工業

> よく出題されるヨーロッパの地誌は要チェック！

✓東南アジアの主な国々

国名	首都	キーワード
フィリピン	マニラ	約7,000の島、プランテーションのバナナ、近年は工業化も進む、キリスト教国
ベトナム	ハノイ	社会主義国、ドイモイ（刷新政策）により市場経済化
タイ	バンコク	東南アジアで唯一植民地とならなかった国、仏教国、チャオプラヤ川流域の米作、古くから農産物の輸出が盛ん（米の輸出で知られる）
マレーシア	クアラルンプール	マレー系、中国系、インド系からなる多民族国家（ブミプトラ政策）、工業化進展（ルックイースト政策）
シンガポール	シンガポール	マラッカ海峡に面する島国、東南アジア最大の工業国、華人が人口の約4分の3を占める
インドネシア	ジャカルタ	約1万以上の島、東南アジアの人口大国、国民の大部分はマレー系、石油・天然ガスをはじめボーキサイトなどの鉱業も盛ん
ミャンマー	ネーピードー	人口の過半をミャンマー人が占める、仏教国、エーヤワディー川流域で米作

わたしたちに身近な東南アジアの国々は確認しておこう！

「集団討論」は
人柄がよく見える

　面接試験は、公務員試験の合否を決める「最後の関門」です。72ページでも触れたように、最近は人物重視を掲げている自治体が増えていて、**面接試験（2次）の配点が教養試験（1次）より高いところも見受けられます**。1次を突破しなければ2次に進めませんが、1次を突破したからといって気を抜けないのです。

　面接試験は主に「**集団討論**」と「**個別面接**」で行われます（「集団面接」や「プレゼンテーション」を行う自治体もあります）。

　集団討論とは、個別面接の前に実施され、それ単体では点数化しない自治体も多くあります。しかし、練習をしていると、その人が集団の中に入った時にどんな行動をとるのか、集団の中でどのような役割をする人なのかがとてもよくわかります。わたしはあちこちの高校や大学にお声がけいただいて面接指導などを行っていますが、担当の先生方も口をそろえて「集団討論は面白い」「見ていて人柄がよくわかる」といいます。それぐらい**その人の人となりが客観的によく見える**のが集団討論です。

　たとえ集団討論単体では点数化しなくても、次の個別面接にあたえる影響はとても大きいので、集団討論をうまく乗り切って波に乗り、個別面接に挑みたいところです。

　手順は次の通りです。「**①課題について意見を各自メモにまとめる（5分程度）→②各自の意見を手短に発表する→③課題について自由に討論する（試験官は討論には加わらない）**」。

　討論が終わるとメモは回収されます。**くれぐれも落書きなどはしないようにしましょう。**

>>> 生物・地学

生物では、生き物のからだのさまざまな機能や生物どうしの関係について、地学では大気や海洋、気象などについて学びます。知識をただ暗記するだけでなく、図やイラストを通じて「各要素が、どのように関連しているのか」を理解しましょう。

5-01 | 生物

生物では、生物のからだの作りやそこで働いているさまざまな仕組み、多様な生物どうしの関係性などを学びましょう。

免疫
優先度：★★＞★＞無印

☐☐☐ **1** 動物のからだには、病原体などの異物の侵入を防いだり、侵入した異物を排除することで恒常性を維持する仕組みがある。この仕組みを<u>免疫</u>（めんえき）と呼ぶ。

☐☐☐ **2** 自然免疫には、異物を包みこんで取り込み、取り込んだ異物を分解する食作用がある。この食作用を行う細胞を<u>食細胞</u>といい、好中球、マクロファージ、樹状細胞などがある。

☐☐☐ **3 ★** 適応免疫（獲得免疫）では、T細胞とB細胞というリンパ球が働くが、これらのリンパ球は、自己成分に対しては免疫が働かない状態を作っている。この状態のことを<u>免疫寛容</u>と呼ぶ。

☐☐☐ **4 ★★** 適応免疫（獲得免疫）には、抗体を用いて異物を排除する体液性免疫と、抗体を用いずにT細胞が感染細胞などを排除する<u>細胞性</u>免疫の2つの反応がある。

☐☐☐ **5** 病原体を認識して活性化した樹状細胞は、取り込んで分解した病原体の断片を細胞の表面に出している。この働きを<u>抗原提示</u>と呼ぶ。

☐☐☐ **6 ★★** B細胞は同じ抗原に対して活性化しているヘルパーT細胞に出会うと、さらに活性化して増殖し、抗体産生細胞（形質細胞）に分化する。抗体産生細胞は抗体を放出し、病原体を排除する。これが<u>体液性</u>免疫である。

□□□ **7** ★★ 樹状細胞からの<u>抗原提示</u>を受けて活性化したキラーT細胞は増殖し、感染部位へ移動して、提示された病原体に感染している細胞を破壊していく。これが<u>細胞性</u>免疫である。

□□□ **8** ★ 抗体は<u>免疫グロブリン</u>というタンパク質で、抗原（病原体）に結合（抗原抗体反応）して、毒性を低下させたり、増殖できないようにする。抗体が結合した抗原はマクロファージにより除去される。

□□□ **9** ★ 適応免疫（獲得免疫）の過程で増殖したT細胞とB細胞の一部は記憶細胞となる。次に同じ抗原が侵入すると記憶細胞は増殖して免疫反応を起こす。これを<u>二次応答</u>と呼ぶ。

□□□ **10** 弱毒化、あるいは無毒化した病原体である<u>ワクチン</u>を接種（予防接種）することで記憶細胞が作られ、病原体が侵入した時に<u>二次応答</u>が起こり、発症や重症化を抑えることができる。

神経・ホルモン

□□□ **11** ★★ 自律神経系には交感神経と副交感神経があり、間脳の<u>視床下部</u>によってコントロールされる。交感神経は活動時に、副交感神経はリラックスしている時に働く。

□□□ **12** ★ 交感神経はすべて<u>脊髄</u>から出ていて、副交感神経は大部分が<u>中脳</u>と延髄から出ている。

□□□ **13** ★★ 脊椎動物の神経系は、<u>中枢</u>神経系と<u>末梢</u>神経系に分けられる。中枢神経系は脳と脊髄のことである。末梢神経系は全身に張り巡らされた神経のことで、自律神経系と体性神経系に分けられる。さらに体性神経系は、運動神経と<u>感覚</u>神経に分けられる。

□□□ **14 ★** ホルモンは内分泌腺から血液中に分泌され、全身を巡り、特定の器官の標的細胞に働きかける。標的細胞は特定のホルモンと結合する<u>受容体</u>を持っている。

□□□ **15** 視床下部にはホルモンを分泌する<u>神経分泌</u>細胞がある。バソプレシンはこの<u>神経分泌</u>細胞によって脳下垂体後葉から分泌されるホルモンで、腎臓に作用して水の再吸収を促進する。バソプレシンの分泌が促進されると尿量は減少し、尿の濃度が濃くなる。

□□□ **16** 成長ホルモンは成長を促進するホルモンで、骨の発育を促進する他、筋肉などの成長に必要な<u>タンパク</u>質の合成を促進する。

□□□ **17** <u>パラトルモン</u>は血中のカルシウムイオン濃度が低下すると分泌されるホルモンで、骨を溶かしたり、原尿 （げんにょう）からのカルシウムイオンの再吸収を促進して血中のカルシウムイオン濃度を上昇させる働きがある。

□□□ **18** <u>鉱質コルチコイド</u>は腎臓でのナトリウムイオンの再吸収や、カリウムイオンの尿への排出を促進する働きがある。これにより体液中のナトリウムイオンとカリウムイオンの濃度を調節している。

□□□ **19 ★★** 最終的に調節された状態が、最初の段階に戻って全体を調節することを<u>フィードバック</u>調節という。

□□□ **20 ★** 血糖濃度は血液中の<u>グルコース</u>の濃度のことで、ヒトでは 0.1%前後になるように調節されている。

□□□ **21 ★★** 食事などで血糖濃度が上昇すると、視床下部がこれを感知し、副交感神経によってすい臓のランゲルハンス島のB 細胞を刺激し、ここから<u>インスリン</u>が分泌される。

□□□ **22 ★★** 多数の<u>グルコース</u>がつながった物質をグリコーゲンと呼ぶ。肝臓や筋肉の細胞内でグリコーゲンが作られると、<u>グルコース</u>は取り込まれて血糖濃度は<u>低下</u>する。

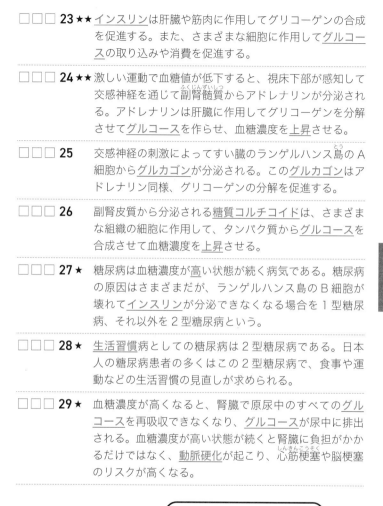

□□□ 23 ★★ <u>インスリン</u>は肝臓や筋肉に作用してグリコーゲンの合成を促進する。また、さまざまな細胞に作用して<u>グルコース</u>の取り込みや消費を促進する。

□□□ 24 ★★ 激しい運動で血糖値が低下すると、視床下部が感知して交感神経を通じて<u>副腎髄質</u>（ふくじんずいしつ）からアドレナリンが分泌される。アドレナリンは肝臓に作用してグリコーゲンを分解させて<u>グルコース</u>を作らせ、血糖濃度を<u>上昇</u>させる。

□□□ 25 交感神経の刺激によってすい臓のランゲルハンス島のA細胞から<u>グルカゴン</u>が分泌される。この<u>グルカゴン</u>はアドレナリン同様、グリコーゲンの分解を促進する。

□□□ 26 副腎皮質から分泌される<u>糖質コルチコイド</u>は、さまざまな組織の細胞に作用して、タンパク質から<u>グルコース</u>を合成させて血糖濃度を<u>上昇</u>させる。

□□□ 27 ★ 糖尿病は血糖濃度が<u>高い</u>状態が続く病気である。糖尿病の原因はさまざまだが、ランゲルハンス島のB細胞が壊れて<u>インスリン</u>が分泌できなくなる場合を1型糖尿病、それ以外を2型糖尿病という。

□□□ 28 ★ <u>生活習慣病</u>としての糖尿病は2型糖尿病である。日本人の糖尿病患者の多くはこの2型糖尿病で、食事や運動などの生活習慣の見直しが求められる。

□□□ 29 ★ 血糖濃度が高くなると、腎臓で原尿中のすべての<u>グルコース</u>を再吸収できなくなり、<u>グルコース</u>が尿中に排出される。血糖濃度が高い状態が続くと腎臓に負担がかかるだけではなく、<u>動脈硬化</u>が起こり、<u>心筋梗塞</u>（しんきんこうそく）や脳梗塞のリスクが高くなる。

ホルモンの語源はギリシャ語の「刺激する」「呼び覚ます」です

□□□ **30** 肝臓は成人で 1.2 〜 1.5kgの、体内で最も大きい臓器である。肝臓の主な働きの１つに、血しょう中のさまざまな<u>タンパク質</u>を合成する働きがある。

□□□ **31 ★** 肝臓は血液中の<u>グルコース</u>を取り込んで、グリコーゲンにして貯蔵する。また、血糖濃度が<u>低下</u>した時にはグリコーゲンを分解して<u>グルコース</u>を作ることで、血糖濃度を調節している。

□□□ **32 ★★** 肝臓は、アルコールや薬物を酵素により分解する働きがある。また、アミノ酸を分解した際に生じる有害物質の<u>アンモニア</u>を、毒性の低い尿素に変化させている。

□□□ **33 ★** 肝臓が生成した胆汁（たんじゅう）は、いったん<u>胆のう</u>にためられる。ためられた胆汁は食物が十二指腸（じゅうにしちょう）に達すると放出され、小腸で脂肪の消化・吸収を助ける。

□□□ **34 ★** 肝臓ではさまざまな化学反応が起きているために<u>発熱</u>し、これが体温の保持に役立っている。

□□□ **35** 腎臓は、腹部の背側の左右に１対の臓器で、尿を作っている。作られた尿は腎うにためられ、輸尿管を通って<u>ぼうこう</u>に運ばれる。

□□□ **36** 腎動脈は腎臓に入ると枝分かれし、毛細血管が集まった糸球体（しきゅうたい）になる。糸球体はボーマンのうに包まれていて、この２つを合わせて<u>腎小体</u>と呼ぶ。

□□□ **37 ★★** 糸球体は血管が細く血圧が高い。この高い血圧によって血しょうの一部はボーマンのうに押し出される。この過程を<u>ろ過</u>と呼び、ボーマンのうに押し出された液体を原尿と呼ぶ。

□□□ 38 ★ 原尿は細尿管（さいにょうかん）から集合管へ流れていく。この過程で身体に必要な物質は細尿管を取り巻く毛細血管に再吸収される。原尿はさまざまな物質を再吸収されながら細尿管を通過して集合管に入り、ここで水が再吸収されて尿となる。

□□□ 39 ★★ 血液は液体成分の血しょうと、有形成分である赤血球・白血球・血小板からなる。血しょうの質量は血液の質量の約55％を占めており、二酸化炭素や老廃物、グルコースなどの栄養分やホルモン、その他さまざまなタンパク質を溶かして運搬している。

□□□ 40 ★ ヒトの赤血球は核を持たず、ヘモグロビンというタンパク質を持ち、酸素を運搬している。古くなった赤血球は、ひ臓や肝臓で壊される。

□□□ 41 ★ 核を持ち、ヘモグロビンを持たない有形成分の総称が白血球である。白血球はアメーバ運動をし、血管壁（へき）を通り抜ける。主に免疫に関与していて、体内に侵入した病原菌や異物を取り込んで消化する食作用がある。

□□□ 42 ★★ 血管が傷ついて出血すると、血小板は傷口に集まって凝固因子を出し、フィブリンという繊維状のタンパク質を作る。フィブリンは網状になって血球を固め、血ぺいという塊を作る。この塊が傷口をふさいで出血を止める。

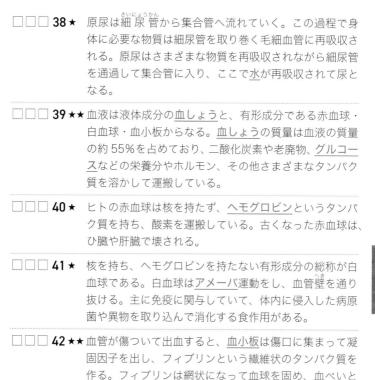

「血ぺい」が乾いて固まったものがカサブタです

□□□ **43 ★★** 生物が季節を知るてがかりとして、1日のうちの夜の長さの変化を用いる性質を光周性（こうしゅうせい）と呼ぶ。

□□□ **44** 1日のうちの夜（＝暗期）の長さが、ある時間より短くなると花を咲かせる植物を長日植物（ちょうじつ）と呼ぶ。ホウレンソウ・大根・アブラナ・小麦などがある。

□□□ **45** 1日のうちの夜（＝暗期）の長さが、ある時間より長くなると花を咲かせる植物を短日植物（たんじつ）と呼ぶ。オナモミ・キク・大豆・コスモス・稲などがある。

□□□ **46** 日長（にっちょう）の変化とは関係なく花芽を形成する植物を中性植物と呼ぶ。タンポポ・トマト・ナス・ハコベなどがある。

□□□ **47 ★** 長日植物が花芽を形成できる最大の夜の長さ、または短日植物が花芽を形成するために必要な最小限の夜の長さを限界暗期と呼ぶ。

□□□ **48 ★★** 動物の行動には、教えられなくてもできる生得的行動（せいとく）（走性・反射・本能行動）と、教えられないとできない習得的行動（条件反射・学習・知能行動）がある。

□□□ **49 ★** 刺激源から遠ざかったり、近づいたりする単純な行動を走性と呼ぶ。例として、正の光走性にミドリムシ・ガ、負の光走性にミミズ・ゴキブリ、正の化学走性にゾウリムシ（酸に向かう）があげられる。

□□□ **50 ★** 特定の刺激が与えられた時に起こる特定の反応や行動を反射と呼ぶ。例として、まばたきや姿勢を保持するための中脳反射、くしゃみ・涙の分泌・唾液（だえき）の分泌の延髄反射、屈筋（くっきん）反射・膝蓋腱反射（しつがいけん）の脊髄反射がある。大脳以外の中枢が指令しているため無意識である。

□□□ **51 ★** 複数の反射が組み合わさった複雑な行動を本能行動と呼び、この本能行動が開始されるために必要な刺激のことを信号刺激と呼ぶ。

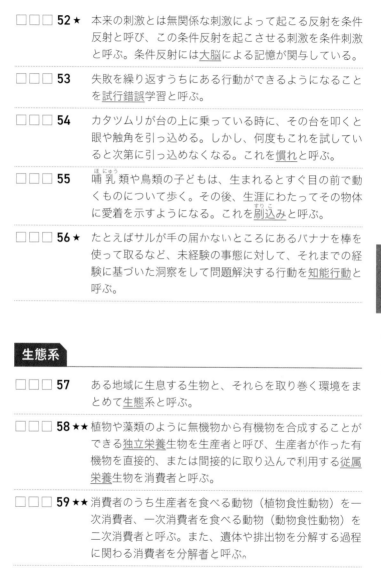

□□□ **52 ★** 本来の刺激とは無関係な刺激によって起こる反射を条件反射と呼び、この条件反射を起こさせる刺激を条件刺激と呼ぶ。条件反射には<u>大脳</u>による記憶が関与している。

□□□ **53** 失敗を繰り返すうちにある行動ができるようになることを<u>試行錯誤学習</u>と呼ぶ。

□□□ **54** カタツムリが台の上に乗っている時に、その台を叩くと眼や触角を引っ込める。しかし、何度もこれを試していると次第に引っ込めなくなる。これを<u>慣れ</u>と呼ぶ。

□□□ **55** 哺乳類や鳥類の子どもは、生まれるとすぐ目の前で動くものについて歩く。その後、生涯にわたってその物体に愛着を示すようになる。これを<u>刷込み</u>と呼ぶ。

□□□ **56 ★** たとえばサルが手の届かないところにあるバナナを棒を使って取るなど、未経験の事態に対して、それまでの経験に基づいた洞察をして問題解決する行動を<u>知能行動</u>と呼ぶ。

生態系

□□□ **57** ある地域に生息する生物と、それらを取り巻く環境をまとめて<u>生態系</u>と呼ぶ。

□□□ **58 ★★** 植物や藻類のように無機物から有機物を合成することができる<u>独立栄養生物</u>を生産者と呼び、生産者が作った有機物を直接的、または間接的に取り込んで利用する<u>従属栄養生物</u>を消費者と呼ぶ。

□□□ **59 ★★** 消費者のうち生産者を食べる動物（植物食性動物）を一次消費者、一次消費者を食べる動物（動物食性動物）を二次消費者と呼ぶ。また、遺体や排出物を分解する過程に関わる消費者を分解者と呼ぶ。

□□□ 60 ★★ 生態系内の捕食者と被食者のつながりを食物連鎖と呼ぶ。現実の生態系では捕食者は複数種の生物を捕食するので、食物連鎖は複雑な食物網となっている。

□□□ 61 ★ 生物に含まれる炭素は、元をたどれば大気中の二酸化炭素である。大気中の二酸化炭素は、植物の光合成により有機物に合成され、その一部は食物連鎖で植物食性動物、動物食性動物に取り込まれる。

□□□ 62 ★ 細胞の中でグルコースなどの炭水化物、タンパク質、脂肪といった有機物を、酸素を使って分解し、放出されるエネルギーを利用して ATP を作る働きを呼吸と呼ぶ。

□□□ 63 生物の体内にある有機物は、呼吸によって分解されて、二酸化炭素として大気中に放出される。また、遺体や排出物の中の有機物は細菌・菌類などの分解者の呼吸によって分解され、二酸化炭素に戻っていく。

□□□ 64 ★ 大気中の窒素を体内に取り入れ、アンモニウムイオンに変える働きを窒素固定と呼ぶ。この窒素固定は一部の原核生物のみが行うことができ、根粒菌、アゾトバクター、クロストリジウム、ネンジュモなどのシアノバクテリアがこれを行う。

□□□ 65 動植物の遺体や排出物に含まれる有機窒素化合物は、分解者の働きによってアンモニウムイオンに変えられる。このアンモニウムイオンは、亜硝酸菌と硝酸菌という細菌によって硝酸イオンになり、植物に取り込まれる。

□□□ 66 植物は取り込んだ硝酸イオンを使ってタンパク質や核酸などの有機窒素化合物を合成する。この働きのことを窒素同化と呼ぶ。また、土壌中の一部の硝酸イオンは、脱窒素細菌の働きによって窒素ガスに戻される。これを脱窒と呼ぶ。

□□□ **67★** 太陽の<u>光</u>エネルギーを利用して <u>ATP</u> を作り、作られた <u>ATP</u> を利用して二酸化炭素から有機物を合成すること を、光合成と呼ぶ。

□□□ **68** 太陽の<u>光</u>エネルギーは生産者の光合成で吸収され、その 一部は有機物の<u>化学</u>エネルギーとして蓄えられる。

□□□ **69★★** 有機物の<u>化学</u>エネルギーは食物連鎖を通して消費者に取 り込まれたり、遺体や排出物として<u>分解者</u>に渡される。 これらの過程で各生物に利用されたエネルギーは、最終 的には<u>熱</u>エネルギーとなって生態系外に出ていく。

□□□ **70★★** <u>物質</u>は生態系内を循環しているが、<u>エネルギー</u>は生態系 内を循環しない。

> 1935年にタンズリーが「生態系」の
> 語をはじめて用いました

酵素・遺伝子

□□□ **71★★** 化学反応を促進するが、それ自体は変化しない物質を 触媒（しょくばい）と呼び、生物の体内で合成される触媒を<u>酵素</u>（生 体触媒）と呼ぶ。<u>酵素</u>（生体触媒）は主にタンパク質か らできている。

□□□ **72★★** 酵素によって反応が促進される物質を基質と呼び、その 反応で生じた物質を生成物と呼ぶ。また、ある酵素はあ る物質のある反応しか促進しない。この性質のことを<u>基 質特異性</u>と呼ぶ。

□□□ **73★★** タンパク質が温度や pH によって変形することを<u>変性</u>と 呼ぶ。酵素が最もよく働く時の温度と pH を、それぞれ 最適温度、最適 pH と呼ぶ。

□□□ **74** ★★ 温度が高すぎたり、pH が最適値からはずれたりすると、タンパク質は<u>変性</u>したまま元に戻らなくなる。その結果、酵素が二度と働かなくなることを<u>失活</u>と呼ぶ。

□□□ **75** DNA（<u>デオキシリボ核酸</u>）はヌクレオチドという基本単位が鎖状に多数つながった物質である。

□□□ **76** ★ ヌクレオチドは、塩基・糖・リン酸が結合したもので、DNA のヌクレオチドの場合、糖はデオキシリボース、塩基は<u>アデニン</u>（A）・チミン（T）・グアニン（G）・シトシン（C）の 4 種類がある。

□□□ **77** ★★ ヌクレオチドは糖とリン酸の結合によってつながって、ヌクレオチド鎖になる。DNA は 2 本のヌクレオチド鎖が互いに塩基どうしで結合し、<u>二重らせん</u>構造をしている。

□□□ **78** ★ DNA の塩基どうしは、必ず A と T、G と C が結合する。この関係性を<u>相補性</u>と呼ぶ。

□□□ **79** DNA の 4 種類の塩基の並び方は、生物が持つさまざまな形質を表すための<u>遺伝情報</u>となっている。

ひと口コラム

1973 年に樹状細胞を発見し、命名したスタインマンは、2007 年にすい臓がんと診断されます。彼は樹状細胞を用いた免疫療法を自分自身で試し、亡くなるまでの 4 年半研究を続けました。ノーベル賞受賞の知らせが届いたのは、彼が亡くなって 3 日後のことでした。

5th Subject

生物・地学

合格者のまとめノート

5-01　生物

✓ 免疫

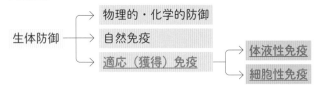

生体防御
→ 物理的・化学的防御
→ 自然免疫
→ 適応（獲得）免疫 → 体液性免疫
→ 細胞性免疫

- **物理的防御**…皮膚の角質層、粘膜からの粘液など
- **化学的防御**…胃酸、リゾチームなど

非特異的

- **自然免疫**…好中球、マクロファージ、樹状細胞
  ※主に好中球やマクロファージなどによる食作用、炎症など

特異的

- **適応（獲得）免疫**…リンパ球、樹状細胞、マクロファージ
  ※異物の侵入後に成立する免疫の仕組みのこと

	主な働き
ワクチン	抗原を投与　予防として健康な人に投与し、免疫を作る
血清	抗体を投与　治療として病気の人に投与し、病原体を除去

※ワクチンを接種することで免疫記憶を成立させる。血清療法は、緊急を要する患者に抗体を投与する。

「血清療法」はベーリングと北里柴三郎
によって開発されました

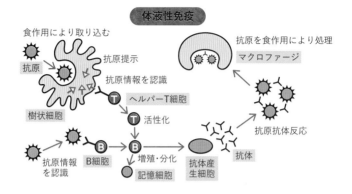

体液性免疫

食作用により取り込む

抗原

樹状細胞

抗原提示

抗原情報を認識

ヘルパーT細胞

活性化

抗原情報を認識

B細胞

増殖・分化

記憶細胞

抗体産生細胞

抗体

抗原抗体反応

抗原を食作用により処理

マクロファージ

侵入した抗原を樹状細胞が食作用で取り込み一部を提示する

→ 提示された抗原をヘルパー T 細胞が認識、特定の B 細胞を活性化

→ 同じ抗原が再び侵入した場合、急速に強い免疫反応が起こる

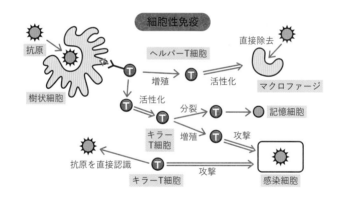

細胞性免疫

抗原

樹状細胞

ヘルパーT細胞

増殖

活性化

直接除去

マクロファージ

活性化

分裂

記憶細胞

キラーT細胞

増殖

攻撃

抗原を直接認識

キラーT細胞

攻撃

感染細胞

樹状細胞が提示した抗原の情報をヘルパー T 細胞が認識する

→ ヘルパー T 細胞は抗原に対応するキラー T 細胞を活性化

→ キラー T 細胞は増殖し、感染細胞を攻撃する

→ 活性化されたヘルパー T 細胞とキラー T 細胞の一部は記憶細胞となる

<u>抗原提示</u>：侵入した抗原を樹状細胞が食作用により取り込んで分解し、一部を
表面に提示すること

✓ 自律神経

自律神経は意思と無関係に無意識に働く

自律神経の中枢は間脳の視床下部

交感神経はすべて脊髄から、副交感神経は中脳・延髄・脊髄から出ている

交感神経は、活動状態や緊張状態の時に働く

副交感神経は、休息したリラックス状態で働き、消化活動を促進し、

エネルギーの貯蔵に働く

	交感神経	副交感神経
呼吸運動	促進 ↑	抑制 ↓
心臓の拍動	促進 ↑	抑制 ↓
瞳	拡大 ↑	縮小 ↓
胃腸のぜん動	抑制 ↓	促進 ↑
ぼうこう	拡大 ↑	収縮 ↓
立毛筋	収縮 ↓	分布しない

「交感神経」と「副交感神経」が
どこから出ているかは要チェック！

✓ 血液

有形成分	核の有無	主な働き
赤血球	無	酸素の運搬
白血球	有	免疫
血小板	無	血液凝固

液体成分	構成	主な働き
血しょう	水・タンパク質・グルコース	物質などの運搬

✓ ホルモン

ホルモンは、標的器官の細胞にある<u>受容体</u>と結合することで作用するため、特定の器官にのみ作用する

内分泌腺		ホルモン	内分泌腺		ホルモン
視床下部		放出ホルモン	副腎	髄質	<u>アドレナリン</u>
		放出抑制ホルモン		皮質	糖質コルチコイド
脳下垂体	前葉	成長ホルモン			鉱質コルチコイド
		甲状腺刺激ホルモン	すい臓のランゲルハンス島		A細胞：グルカゴン
		副腎皮質刺激ホルモン			B細胞：インスリン
	後葉	バソプレシン			
甲状腺		<u>チロキシン</u>			
副甲状腺		パラトルモン			

ホルモンと内分泌腺と、その働きはしっかり確認しておこう！

✓ 光合成

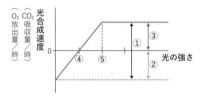

① : 真の光合成速度
② : 呼吸速度
③ : 見かけの光合成速度
④ : 光補償点
⑤ : 光飽和点

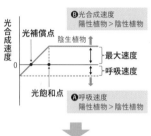

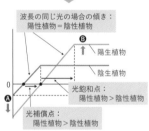

※縦軸は植物がどれくらいの二酸化炭素を差し引きで吸収したかを表している。植物は「光合成の速度>呼吸の速度」でなければ成長できない。

・光合成の速度＝呼吸の速度
　となる光の強さ＝光補償点
・これ以上強くしても光合成速度が
　上がらない光の強さ＝光飽和点
・陽性植物：光補償点も光飽和点も
　　　　　　「高い」植物。強光下での
　　　　　　光合成が盛んで「日向」に
　　　　　　適している
・陰性植物：光補償点も光飽和点も
　　　　　　「低い」植物。
　　　　　　光補償点が低いため、
　　　　　　弱光下でも生育が可能で
　　　　　　「日陰」に適している

陽性植物のほうが陰性植物に比べて
葉が厚く、さく状組織が発達している。
そのため光合成をする細胞が多く、
「光合成の最大速度が大きく」なる。
同様に、陽性植物のほうが呼吸をする
細胞が多く、「呼吸速度も大きく」なる。

> 光合成は CO_2 と水から光エネルギーを用いて有機物を合成します

✓ 物質循環とエネルギー

物質は生態系内を循環するが、<u>エネルギーは生態系内を循環しない</u>

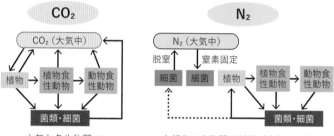

炭素 (CO_2) と窒素 (N_2) の循環の違い

CO_2

CO_2 (大気中)

植物 → 植物食性動物 → 動物食性動物

菌類・細菌

大気と各生物間で直接授受がある

N_2

N_2 (大気中)

脱窒　窒素固定

細菌　細菌　植物 → 植物食性動物 → 動物食性動物

菌類・細菌

大部分は生物間で循環（大気と生物間の授受は窒素固定と脱窒のみ）

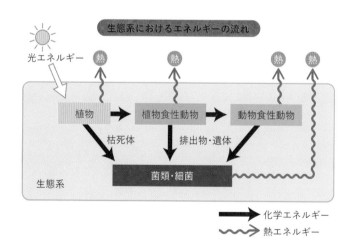

生態系におけるエネルギーの流れ

光エネルギー　熱　熱　熱　熱

植物 → 植物食性動物 → 動物食性動物

枯死体　排出物・遺体

菌類・細菌

生態系

→ 化学エネルギー

〜〜〜 熱エネルギー

5-02 | 地学

「地震」「気象」「大気」などの自然現象を扱います。より暗記重視の科目のため、何度も解いて用語や原理を覚えましょう。

地震

優先度：★★ > ★ > 無印

☐☐☐ **1** 地震波が最初に発生したところを震源といい、その真上の地表の点を<u>震央</u>（しんおう）と呼ぶ。

☐☐☐ **2** ★★ 地震が発生した時、観測点に最初に到達して、初期微動を引き起こす地震波をP波といい、P波の後に観測点に到達して主要動を引き起こす地震波をS波と呼ぶ。また、P波が到達してからS波が到達するまでの時間を<u>初期微動継続時間</u>と呼ぶ。

☐☐☐ **3** S波の後に地表を伝わって観測点に到達し、ゆれの周期が長く振幅の大きい波を<u>表面波</u>と呼ぶ。

☐☐☐ **4** ★★ ある場所での地震動の大きさを<u>震度</u>といい、気象庁が定めたその階級は0から7（5と6は強・弱がある）までの10段階に分かれている。

☐☐☐ **5** ★★ 地震の規模は<u>マグニチュード</u>（M）で表される。放出されたエネルギーでもあるこの<u>マグニチュード</u>（M）が2大きくなると地震のエネルギーは1,000倍になる。

☐☐☐ **6** ★ 震源が深い地震の場合は、<u>震央</u>から遠く離れた地域のほうが大きくゆれる場合がある。このような地域のことを<u>異常震域</u>と呼ぶ。

☐☐☐ **7** 大きな地震の後で引き続き小さな地震が連続して起こる場合、大きな地震を本震と呼び、小さな地震を<u>余震</u>と呼ぶ。

□□□ **8 ★** 震源の浅い地震は、マグニチュードが小さくても震度が大きくなることがある。このような地震のうち、大都市の直下で起こる地震を<u>直下型地震</u>と呼ぶ。

□□□ **9 ★** 海洋プレートが大陸プレートの下に沈み込む場所では巨大地震がたびたび発生している。このようにプレートの境界（海溝沿い）で発生する地震を<u>海溝型地震</u>と呼ぶ。

□□□ **10** 地層や岩石が断ち切れて、その切断面にそって両側の地層や岩石がずれた状態を断層といい、その切断面を断層面と呼ぶ。過去数十万年間に活動をくり返し、今後も活動する可能性のある断層が活断層である。

□□□ **11★** 地震動によって、固体のはずの地層が液体のようにふるまう現象を<u>液状化現象</u>と呼ぶ。

□□□ **12** 海底地震や海底火山の爆発によって、海底の地盤が隆起したり沈降したりすることがある。この時に発生する波を<u>津波</u>と呼ぶ。

温帯低気圧と台風

□□□ **13** 広域にわたって温度と湿度がほぼ均質な大気のかたまりを<u>気団</u>と呼ぶ。

□□□ **14 ★** 北半球において、高気圧は時計回りに風が吹き出して下降気流となり、天気は晴れやすい。一方、<u>低</u>気圧は反時計回りに風が吹き込み、上昇気流が激しく、雨が降りやすい。

□□□ **15** 性質が異なる２つの<u>気団</u>の境界面が地面と交わるところを前線と呼ぶ。

□□□ **16 ★** 温帯低気圧は南北の気温の変化が大きい温帯で発生する。日本の温帯低気圧は、高緯度に多い寒帯気団のシベリア気団や<u>オホ　ツク海</u>気団と亜熱帯気団の揚子江気団や小笠原気団がぶつかり発生する。

□□□ **17 ★★** 日本付近では温暖前線は温帯低気圧の東側にできる。暖気が寒気の上にはい上がることで乱層雲が発生し、広い範囲で雨を降らす。前線が西から東へ通り過ぎると、西から暖気が入り込んで気温が上がる。

□□□ **18 ★★** 日本付近では寒冷前線は温帯低気圧の西側にできる。寒気が暖気の下にもぐり込むことで暖気が上昇し、積乱雲が発生して激しい雨や雷雨となる。前線が西から東へ通り過ぎると、西から寒気が入り込んで気温が下がる。

□□□ **19 ★** 海面水温の高い低緯度の海域で発生する低気圧を熱帯低気圧と呼ぶ。熱帯低気圧は前線を伴わない。

□□□ **20 ★★** 熱帯の海上で発生した熱帯低気圧のうち、北西太平洋または南シナ海に存在し、最大風速が約17m/s以上になったものを台風と呼ぶ。台風の上層は時計回りに風が吹き出し、下層は反時計回りに風が吹き込む。

□□□ **21** 台風の風は中心から 50〜100km あたりで最も強いが、中心には台風の目と呼ばれる部分があり、そこでは下降気流が生じていて、青空が見え、風も弱い。

□□□ **22** 台風の接近による気圧の低下と強風による海水の吹き寄せによって、海面の水位は異常に高まる。この現象を高潮（たかしお）と呼ぶ。

> 周囲より気圧が高い領域が「高気圧」、低い領域が「低気圧」です

日本の四季

□□□ **23 ★★** 日本の冬は<u>西高東低</u>の気圧配置である。

□□□ **24** 日本の冬によく見られる、北西から吹く強く乾いた寒風を<u>北西季節風</u>（北西モンスーン）と呼ぶ。

□□□ **25** 冬に発達する<u>シベリア</u>高気圧から吹く冷たく乾燥した空気は、日本海上で水蒸気を含み、日本列島の日本海側に雪を降らす。

□□□ **26 ★** 日本の冬は日本海側では雪による降水量が多くなり、太平洋側は晴天の日が続いて空気が<u>乾燥</u>する。

□□□ **27 ★** 立春（2月4日頃）を過ぎて最初に吹く南寄りの暖かく強い風を<u>春一番</u>と呼ぶ。この時、日本海側では冬に積もった雪が溶けて雪崩になることがある。

□□□ **28 ★** 春に日本付近を西から東へ次々に通過していく高気圧を<u>移動性高気圧</u>と呼ぶ。この高気圧は偏西風によって移動する。

□□□ **29 ★★** 日本の春の気候は、低気圧と高気圧が交互に通過するため、気温が上がる時期と下がる時期が繰り返される。これを<u>三寒四温</u>と呼ぶ。

□□□ **30 ★★** 6月から7月にかけて、日本の北にオホーツク海高気圧が、南には北太平洋高気圧がそれぞれ発達し、その間に<u>梅雨前線</u>が停滞する。

□□□ **31 ★** オホーツク海高気圧からの冷たい北東の風は、東北地方の太平洋岸に冷害をもたらす。この風を<u>やませ</u>と呼ぶ。

□□□ **32** 北太平洋高気圧からの湿った空気の流れは、西日本に大雨や局地的な範囲で短時間に強く降る<u>集中豪雨</u>をもたらす。

□□□ **33 ★★** 日本の夏は<u>南高北低</u>の気圧配置となり、蒸し暑い晴天が続く。

□□□ **34** 昼間に海岸付近で海から陸に向けて吹く風を海風と呼び、夜間に海岸付近で陸から海に向かって吹く風を陸風と呼ぶ。

□□□ **35** 日本の夏の午後は強い日射により地表付近の温度が高くなる。さらに南から暖かく湿った空気が流れ込むため、内陸部で上昇気流が生じ、積乱雲が発達しやすくなる。このことによって、夕立や雷雨、集中豪雨が発生する。

□□□ **36 ★★** 9月から10月にかけて日本付近に停滞する停滞前線を秋雨前線と呼ぶ。台風に伴う湿った空気がこの前線に流れ込んで、大雨や集中豪雨をもたらすことがある。

□□□ **37 ★** 10月から11月頃に、日本付近を西から東へ通過していく高気圧を移動性高気圧と呼ぶ。春の季節と同じように、この高気圧と温帯低気圧が日本付近を交互に通過するため、日本の秋の天気は周期的に変化する。

地球の大気と海洋

□□□ **38 ★** 地表付近の大気は、主に窒素（約78%）と酸素（約21%）で構成されている。水蒸気を除いた大気の組成は高度80kmまではほとんど変化しない。

□□□ **39 ★★** 大気圏は高度による気温の変化を基に、下から順に対流圏・成層圏・中間圏・熱圏の4つに区分される。

□□□ **40** 地表から高度約11kmまでの大気圏は気温が高さとともに低下する。この領域を対流圏と呼ぶ。

□□□ **41 ★★** 対流圏の上端から高度約50kmまでは気温が高さとともに上昇する。この領域を成層圏と呼ぶ。成層圏には高度約25kmを中心にオゾン層がある。また、対流圏と成層圏の境界は圏界面（対流圏界面）と呼ばれている。

□□□ **42**　高度約50kmから約80kmまでは、気温が高さとともに低下する。この領域を中間圏と呼ぶ。

□□□ **43 ★**　高度約80kmから約500kmまでは、気温が高さとともに上昇する。この領域を熱圏と呼ぶ。オーロラ（極光）は高緯度の熱圏で発生する。

□□□ **44**　太陽系内の塵が大気圏に突入し、発光する現象が流星である。流星は中間圏や熱圏で発生する。

□□□ **45 ★**　太陽が放射する電磁波を太陽放射といい、波長別にみると太陽は可視光線を最も強く放射している。

□□□ **46 ★**　地球が宇宙へ放射する電磁波を地球放射といい、波長別にみると地球は赤外線を最も強く放射している。

□□□ **47**　太陽放射のうち、紫外線は大気中の酸素やオゾンにより吸収される。

□□□ **48 ★★**　大気中の二酸化炭素や水蒸気やフロン、メタンが、地表から放射された赤外線を吸収し、その一部を再び赤外線として地表に放射することにより、地表付近のエネルギーが蓄積されて温度が上昇する。このような現象を温室効果と呼ぶ。

□□□ **49**　赤道付近の気圧の低い領域を熱帯収束帯（赤道低圧帯）といい、緯度20°から30°にかけての気圧の高い領域を亜熱帯高圧帯という。亜熱帯高圧帯から熱帯収束帯に向けて吹く風が貿易風である。

□□□ **50 ★★**　熱帯収束帯で上昇した空気は、亜熱帯高圧帯で下降する。このような大気の循環をハドレー循環と呼ぶ。

□□□ **51 ★★**　中緯度の対流圏で吹いている西よりの風を偏西風という。偏西風は圏界面付近で特に強く吹き、ジェット気流と呼ばれる。

□□□ **52**　海水に含まれる塩類（塩化ナトリウムや塩化マグネシウム）の濃度を塩分といい、海水の塩分は約3.5%である。

□□□ **53** 大気圏が気温の分布を基にして４つの層に分けられるように、海洋も水温の分布を基に海面付近から順に、表層混合層・水温躍層（すいおんやくそう）・深層の３つの層に分けられる。

□□□ **54★★** 海面付近における、ほぼ一定の方向に長時間流れる海水の流れを海流と呼ぶ。海流は低緯度では貿易風により東から西へ流れ、中緯度では偏西風によって西から東へ流れる。

□□□ **55★** 海水は北半球では時計回り、南半球では反時計回りに循環している。この海水の流れを環流（亜熱帯循環）と呼ぶ。環流は、亜熱帯の海洋を循環して熱を低緯度地域から高緯度地域へ運んでいる。

□□□ **56★** 水温が低く塩分が高いほど海水の密度は大きくなる。北大西洋のグリーンランド沖や、南極大陸の周辺で沈み込んだ海水は、深海を流れて太平洋やインド洋で表層に戻る。このような海水の循環を深層循環という。

地球環境問題

□□□ **57★★** 数年に一度、赤道太平洋東部の海面水温が数℃高くなる現象を、エルニーニョ現象と呼び、数年に一度、赤道太平洋東部の海面水温が数℃低くなる現象をラニーニャ現象と呼ぶ。

□□□ **58★** エルニーニョ現象が起こると日本の夏は冷夏（れいか）になり、冬は暖冬になる傾向がある。ラニーニャ現象が起こると日本の夏は猛暑になり、冬は厳寒になる傾向がある。

□□□ **59** エルニーニョ現象の際、貿易風や東部での冷たい海水の湧き上がりは弱まり、ラニーニャ現象の際、貿易風や東部での冷たい海水の湧き上がりが強まる。

□□□ **60** 石油や石炭などの化石燃料を燃やすことで二酸化炭素が発生する。大気中の二酸化炭素が増加すると温室効果が強まり、世界の平均気温が上昇すると考えられている。このように平均気温が上昇する現象を地球温暖化という。

□□□ **61 ★★** フロンは成層圏に入ると太陽からの紫外線によって分解される。この分解によって塩素原子が放出される。この塩素原子が成層圏のオゾンと化学反応を起こしてオゾンを破壊する。

□□□ **62 ★★** 1980年代以降、成層圏のオゾンの量が極端に少なくなるオゾンホールが、春期の南極上空に現れるようになった。

□□□ **63 ★** 人口集中による放熱量の多さやコンクリート等の蓄熱作用により、都市部の温度は郊外地域より高くなる傾向がある。この現象をヒートアイランド現象と呼ぶ。

□□□ **64 ★★** 化石燃料の燃焼により放出された硫黄酸化物や、自動車の排気ガスに含まれる窒素酸化物は、大気中の化学反応によりそれぞれ硫酸と硝酸になる。これらが雨水に溶けこむと強い酸性の雨になり、これを酸性雨という。

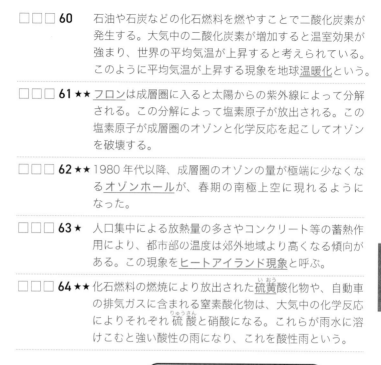

「エルニーニョ」と「ラニーニャ」現象は混同しやすいので要注意！

太陽系の惑星

□□□ **65** 太陽系には太陽から近い順に、水星・金星・地球・火星・木星・土星・天王星・海王星の8つの惑星がある。

□□□ **66** 半径が小さく密度の大きい惑星を地球型惑星（水星・金星・地球・火星）と呼び、半径が大きく密度の小さい惑星を木星型惑星（木星・土星・天王星・海王星）と呼ぶ。

□□□ **67** 地球型惑星の自転周期は木星型惑星よりも長く、扁平率は木星型惑星よりも小さい。

□□□ **68★** 木星型惑星のうち木星と土星は、惑星内部が主にガスで構成されているため巨大ガス惑星と呼ばれる。

□□□ **69★** 木星型惑星のうち天王星と海王星は、惑星内部に厚い氷の層があるため巨大氷惑星と呼ばれる。

□□□ **70** 太陽系で最も半径が小さい惑星は水星である。

□□□ **71★★** 地球とほぼ同じ大きさで、大気圧が約90気圧、大気の主成分が二酸化炭素であるため、強い温室効果が働き、地表の温度が約460℃にもなる、太陽系で表面温度が最も高い惑星は金星である。

□□□ **72★★** 半径が地球の半分程度で、地球と同じように自転軸が傾いているため、季節の変化がみられる惑星は、火星である。火星の大気の主成分は二酸化炭素であるが、大気の量が少ないため温室効果はほとんど働かない。

□□□ **73★★** 半径が地球の約11倍ある太陽系最大の惑星は、木星である。木星の主成分は水素とヘリウムで、表面温度は−145℃、表面には大赤斑と呼ばれる巨大な大気の渦が見られる。また、木星には衛星が60個以上発見されている。

□□□ **74 ★** 大きなリングを持ち、太陽系で最も平均密度の小さな惑星は、土星である。土星の主成分は水素とヘリウムで、表面温度は−175℃、リング部分は氷と岩片でできている。

□□□ **75** 天王星と海王星は半径がともに地球の約4倍で、表面温度は天王星が−210℃、海王星が−220℃である。大気の主成分はともに水素とヘリウムだが、メタンが赤色光を吸収するため、地球から見るとどちらの惑星も青く見える。

□□□ **76 ★** 太陽系の惑星のうち自転軸が軌道面に対してほぼ横倒し（赤道傾斜角約98%）になって公転しているのは、天王星である。

□□□ **77** 地球・太陽間の平均距離を1とした長さの単位のことを天文単位（AU）という。

✅ ひと口コラム

オゾン層を破壊するフロンは、人間が作り出した化学物質です。低温で気化する性質からエアコンや冷蔵庫の冷媒として使われ、電子部品を洗浄する時は液化して、スプレーの噴射材としても使用されました。そんな夢の物質フロンが環境破壊の原因となってしまったわけです。

合格者のまとめノート

5-02　地学

✓地震

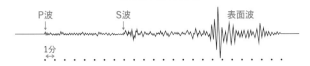

地震波の記録例

・<u>P波</u>：最初の波。地表付近の速度 5 ～ 7km/s
・<u>S波</u>：2 番目の波。地表付近での速度は 3 ～ 4km/s
・**表面波**：地表を伝わる速さは約 3km/s

マグニチュード（M）	1.0	2.0	3.0	4.0	5.0
エネルギー（J）	2×10^6	6.3×10^7	2×10^9	6.3×10^{10}	2×10^{12}

・マグニチュードが <u>2</u> 増えると地震のエネルギーは <u>1,000</u> 倍
・マグニチュードが 1 増えると、地震のエネルギーは約 32 倍←$\sqrt{1,000} \fallingdotseq 32$

断層の種類

【正断層】

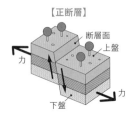

【逆断層】

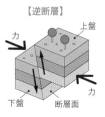

【横ずれ断層】

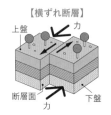

・<u>正断層</u>：上盤が下盤に対してずり落ちた断層
・<u>逆断層</u>：上盤が下盤に対してせり上がった断層
・<u>横ずれ断層</u>：断層を境にして水平方向にずれる断層

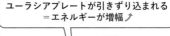

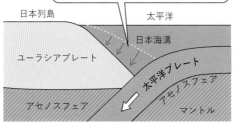

限界点を超えると……

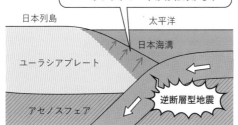

・海溝型地震：大陸プレートと海洋プレートの境界で発生する巨大地震。
プレートの沈み込みが続く限り今後も周期的に発生する。

> 震度は0〜7なのに10段階なのは、
> 震度5と6に「強」と「弱」がある
> からです

✓ 温帯低気圧と台風

日本付近を通過する温帯低気圧は、南北の気温差が大きい場所で発生する。
東側に温暖前線、西側に寒冷前線を伴う。

温帯低気圧の構造

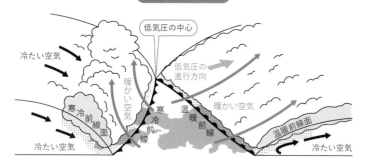

台風断面の構造

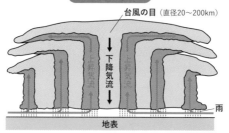

台風の下層では反時計回りに風が吹き込み、
上層では時計回りに吹き出します

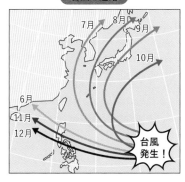

・台風は北太平洋高気圧の西側を時計回りに回るようにして北上

・日本付近では偏西風によって北東方向へ移動することが多い

・熱帯低気圧は海面水温の高い低緯度の海域で発生し、前線は伴わない。

・熱帯低気圧のうち、北西太平洋または南シナ海にあって最大風速が約17m/s以上になったものを台風と呼ぶ。

✓日本の四季

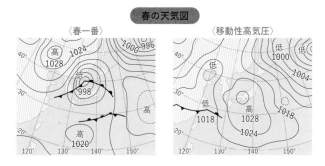

・春：移動性高気圧と温帯低気圧が交互に通過。天気は変わりやすい。

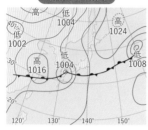

梅雨の天気図

・**梅雨**：オホーツク海高気圧と北太平洋高気
　　　　圧の間に梅雨前線（停滞前線）がで
　　　　きて雨の日が多い。

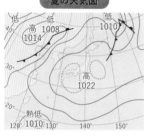

夏の天気図

・**夏**：南高北低の気圧配置。蒸し暑い日が続
　　　　く。夕立や雷雨、集中豪雨が発生。

・**秋**：8〜9月は台風が接近しやすい。9〜10月は秋雨前線（停滞前線）が
　　　　できて雨の日が多い。10〜11月は春と同じように移動性高気圧と温帯
　　　　低気圧が交互に通過（227ページ参照）。天気は変わりやすい。

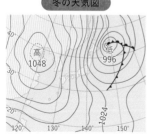

冬の天気図

・**冬**：西高東低の気圧配置。北西の季節風が
　　　　吹き日本海側は雪、太平洋側は晴れる
　　　　日が多く乾燥する。

✓ 大気の構造

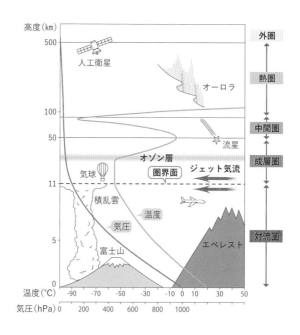

熱圏	高度約80kmから約500kmまでの大気。高度とともに気温が上昇。高緯度で**オーロラ**（極光）が発生。熱圏から中間圏にかけて<u>流星</u>が見られる。
中間圏	高度約50kmから約80kmまでの大気。高度とともに気温が低下。
成層圏	高度約11kmから約50kmまでの大気。高度とともに気温が上昇。高度約25kmを中心に<u>オゾン</u>層がある。
対流圏	地表から高度約11kmまでの大気。高度とともに気温が低下。

5th Subject

生物・地学

個別面接のコツは「話す」より「聞く」こと！

　個別の面接試験では、試験官は事前に提出された面接カードを見ながら質問していきます。「〇〇さんは志望理由に△△と書いてあるけど入ってからやってみたいことは何？」みたいな感じです。試験官と受験生が座る椅子は思っている以上に距離がありますから、**しっかりとした大きな声で試験官に届くように話しましょう**。

　受験生が座る椅子と入退室するドアも想像以上に離れています。ですから、**退出時も気を抜かずにキビキビ歩く**のがよいのですが、「部屋を出るまで」というよりも、試験当日は家に着くまで気を抜かずにいてください。たとえば、**面接会場の建物内で出会う人すべてに、こちらから明るく挨拶**しましょう。その人が人事担当者であるかもしれません。

　面接というと「自分のことをいかに上手に話すか」がポイントだと思っている人がたくさんいます。でも大事なのは、**話すことよりも「聞くこと」**です。誰だって自分のことは熱心に話すけれど、相手の話を聞いていない人と一緒に仕事したいとは思いません。誰かと面接練習する時には、うなずき方や相づちの打ち方など、話の聞き方も見てもらいましょう。

　まずはしっかり試験官の話を聞いて、**その質問で求められていることは何なのかをしっかり把握すること**。もちろん試験官の質問が理解できたからといって、話をさえぎるようにして話しはじめることは論外です。試験官が言おうとしていることは何なのかを、**ゆっくりうなずきながら聞き取る**こと。そして、テニスのラリーのように、**試験官と対話を楽しんで続けましょう**。

>>> 国語

言葉の学習では、四字熟語やことわざ・慣用句について理解を深めることが大切です。言葉の意味を正しく知り、使いこなせるようにしましょう。中国の故事を基に生まれたものもありますので、どのようにして生まれたかも理解すると覚えやすいです。

6-01 | 四字熟語

四字熟語は、漢字一字一字での意味を考えるのではなく熟語全体で意味をとらえ、正しい読み方も覚えましょう。

あ行

優先度：★★＞★＞無印

☐☐☐ **1** 悪戦苦闘（あくせん<u>くとう</u>）
　意味 困難に打ち勝とうと死に物狂いでがんばること。

☐☐☐ **2** <u>安心立命</u>（<u>あんしんりつめい</u>）
　意味 天命に身を任せ、心が落ち着いていること。

☐☐☐ **3 ★** 暗中模索（<u>あんちゅうもさく</u>）
　意味 暗闇の中で、手探りで探すこと。

☐☐☐ **4 ★** 唯唯諾諾（<u>いいだくだく</u>）
　意味 事の良し悪しに関係なく、他人の言いなりになること。

☐☐☐ **5 ★★** 異口同音（<u>いくどうおん</u>）
　意味 多くの人が口をそろえて同じことを言うこと。

☐☐☐ **6 ★** 以<u>心</u>伝<u>心</u>（<u>いしんでんしん</u>）
　意味 言葉で説明しなくても相手に通じること。

☐☐☐ **7** 一衣帯水（<u>いちいたいすい</u>）
　意味 一筋の帯のように細長い川や海。また、その川や海をへだてて土地が互いに近接していること。

☐☐☐ **8** 一言居士（<u>いちげんこじ</u>）
　意味 何事にも自分の意見を言わなければ気のすまない人のこと。

☐☐☐ **9 ★★** <u>一期一会</u>（<u>いちごいちえ</u>）
　意味 茶道で一生に一度の茶会と心得て誠意をつくすべきだということ。転じて、一生に一度だけの出会いのこと。

☐☐☐ **10 ★★** <u>一日千秋</u>（<u>いちじつせんしゅう</u>）
　意味 一日が千年にも感じられるほど待ち遠しく思うこと。

□□□ **11** 一念発起（**いちねんほっき**）
意味 気持ちを改めて、あることを成し遂げようと決意すること。

□□□ **12★** 一陽来復（**いちようらいふく**）
意味 冬が去り春がやってくること。転じて、苦しい時期が過ぎて良いことがやってくること。

□□□ **13★** 一喜一憂（**いっきいちゆう**）
意味 状況が変わるたびに喜んだり心配したりすること。

□□□ **14★** 一石二鳥（**いっせきにちょう**）
意味 1つのことをして同時に2つの利益を得ること。

□□□ **15** 一知半解（**いっちはんかい**）
意味 知識が十分に自分のものになっていないこと。

□□□ **16** 一朝一夕（**いっちょういっせき**）
意味 非常に短い時間のこと。

□□□ **17★★** 意味深長（**いみしんちょう**）
意味 表面に現れた意味の他に別の深い意味があること。

□□□ **18★★** 因果応報（**いんがおうほう**）
意味 良いことに対しては良い報いが、悪いことに対しては悪い報いがあること。

□□□ **19** 有為転変（**ういてんぺん**）
意味 世の中は常に移り変わって少しの間も同じ状態にないこと。

□□□ **20★★** 傍目八目（**おかめはちもく**）
意味 他人の囲碁をわきから見ていると、実際に打っている人よりも八目先の手までわかる。転じて、第三者のほうが当事者よりも全体が良く見え、冷静に判断できること。

□□□ **21★★** 温故知新（**おんこちしん**）
意味 昔の物事を調べて、そこから新しい知見を得ること。

☐☐☐ 22 快刀乱麻（かいとうらんま）
意味 もつれた麻を切れ味の良い刀で断ち切るように、こじれた問題をあざやかに処理すること。

☐☐☐ 23 臥薪嘗胆（がしんしょうたん）
意味 かたき討ちのために薪の上で寝て身を苦しめ、苦い胆をなめて復讐の心を忘れまいとしたこと。転じて、目的を成し遂げるために苦労に耐えること。

☐☐☐ 24★ 隔靴掻痒（かっかそうよう）
意味 靴の上から痒いところを掻くように、思い通りにならず歯がゆいこと。

☐☐☐ 25 合従連衡（がっしょうれんこう）
意味 その時々の利害に応じて団結したり離散したりすること。

☐☐☐ 26★★ 我田引水（がでんいんすい）
意味 他人のことは考えず、自分の都合のいいように行うこと。

☐☐☐ 27★ 画竜点睛（がりょうてんせい）
意味 竜の絵を描いて最後に瞳を書き入れて完成させること。転じて、仕上げに最も重要なところに手を加えて立派に完成させること。

☐☐☐ 28★ 換骨奪胎（かんこつだったい）
意味 人間が骨と胎を取り換えて仙人の身体に生まれ変わること。転じて、古人の詩や文を基にして自分の作品を表現すること。

☐☐☐ 29 閑話休題（かんわきゅうだい）
意味 話を本筋に戻す時に使う言葉。それはさておき、無駄話はさておいて、ということ。

☐☐☐ 30★★ 危機一髪（ききいっぱつ）
意味 髪の毛1本ほどの違いで、非常に危険な状態が迫っていること。

☐☐☐ 31★★ 起死回生（きしかいせい）
意味 今にも負けそうな状態を立て直し、再び勢いを盛り返すこと。

□□□ 32 ★★ 疑心暗鬼（ぎしんあんき）
意味 いったん疑いはじめると、ありもしない恐ろしいことが心に浮かんできて、怪しくないものでも疑わしく思えたりすること。

□□□ 33 奇想天外（きそうてんがい）
意味 思いもよらない奇抜なこと。

□□□ 34 喜怒哀楽（きどあいらく）
意味 さまざまな感情のこと。

□□□ 35 ★ 興味津津（きょうみしんしん）
意味 面白みや関心がつきないこと。

□□□ 36 ★ 曲学阿世（きょくがくあせい）
意味 真理を曲げて世間におもねり、人気を得ようとすること。

□□□ 37 玉石混交（ぎょくせきこんこう）
意味 良いものと悪いものが入りまじって区別がないこと。

□□□ 38 ★ 空前絶後（くうぜんぜつご）
意味 後にも先にも例がないこと。

□□□ 39 君子豹変（くんしひょうへん）
意味 人が態度や意見をがらりと変えること。

□□□ 40 ★★ 軽挙妄動（けいきょもうどう）
意味 軽はずみで向こう見ずな行動をとること。

□□□ 41 鶏口牛後（けいこうぎゅうご）
意味 大きな集団の下っ端でいるより、小さな集団のトップにいるほうが良いこと。

□□□ 42 牽強付会（けんきょうふかい）
意味 道理に合わないことを、都合のいいようにこじつけること。

□□□ 43 ★ 捲土重来（けんどちょうらい）
意味 一度失敗したものが、体制を整えて巻き返すこと。

□□□ 44 権謀術数（けんぼうじゅっすう）
意味 巧みに人をあざむくための策略のこと。

□□□ **45** 行雲流水（こううんりゅうすい）
意味 物事にとらわれない平静な心境のこと。

□□□ **46**★★ 厚顔無恥（こうがんむち）
意味 厚かましくて恥知らずなこと。

□□□ **47**★★ 巧言令色（こうげんれいしょく）
意味 うまい言葉と愛想のいい表情のこと。

□□□ **48**★ 荒唐無稽（こうとうむけい）
意味 根拠がなくて、でたらめなこと。

□□□ **49**★★ 呉越同舟（ごえつどうしゅう）
意味 仲の悪い者どうしが力を合わせて事にあたること。

□□□ **50**★ 五十歩百歩（ごじっぽひゃっぽ）
意味 違いがあるようで本質的には同じこと。

□□□ **51**★★ 五里霧中（ごりむちゅう）
意味 心が迷って考えが定まらないこと。

□□□ **52** 言語道断（ごんごどうだん）
意味 言葉では言い表せないほどひどいこと。

「言語」は普通「げんご」ですが、問題
52 の熟語は「ごんご」と読みます

さ行

□□□ **53**★★ 三寒四温（さんかんしおん）
意味 三日寒い日が続いた後に四日暖かい日が続く、この繰り返しで春がやって来ること。

□□□ **54** 自画自賛（じがじさん）
意味 自分で自分をほめること。

□□□ **55** 時期尚早（<u>じ</u>き<u>しょう</u>そう）
意味 時期が早すぎること。

□□□ **56 ★** 自業<u>自</u>得（じごう<u>じとく</u>）
意味 自分が犯した悪事によって自分自身が悪い報いを受けること。

□□□ **57** 七転八倒（<u>しち</u>てんば<u>っとう</u>）
意味 あまりの痛さに耐えられず転げまわること。

□□□ **58 ★** 質実剛健（しつじつごうけん）
意味 飾り気がなく真面目で、心も身体も強いこと。

□□□ **59 ★** 四分五裂（<u>し</u>ぶん<u>ご</u>れつ）
意味 ばらばらになってしまうこと。

□□□ **60 ★★** 四面楚歌（しめん<u>そ</u>か）
意味 周りが敵や反対者ばかりで一人の味方もいないこと。

□□□ **61** 秋霜烈日（しゅうそう<u>れつじつ</u>）
意味 秋の冷たい霜と真夏の強い太陽のように、刑罰や権力などがきわめて厳しいこと。

□□□ **62** 盛者必衰（じょうしゃひっすい）
意味 どんなに勢いの盛んなものでも必ず衰えること。

□□□ **63** 諸行無常（しょぎょうむじょう）
意味 人の世のはかないこと。

□□□ **64** 支離滅裂（<u>しりめつれつ</u>）
意味 ばらばらに乱れて、筋道がたっていないこと。

□□□ **65 ★** 心機一転（しん<u>き</u>いってん）
意味 あることをきっかけにして、気持ちが良い方向に変わること。

□□□ **66 ★** 信賞必罰（<u>しんしょうひつばつ</u>）
意味 賞罰を正しく行うこと。

□□□ **67 ★★** 針小棒大（<u>しんしょうぼうだい</u>）
意味 小さなことを大げさに言うこと。

6th Subject

国語

□□□ **68 ★** 森羅万象（しんらばんしょう）
意味 この世の中にあるすべてのもの。

□□□ **69 ★★** 晴耕雨読（せいこううどく）
意味 晴れた日には田畑を耕し、雨の日には家で読書すること。

□□□ **70 ★★** 青天白日（せいてんはくじつ）
意味 真っ青な空と明るく輝く太陽のこと。転じて、心が潔癖で後ろ暗いことがまったくないこと。

□□□ **71** 切磋琢磨（せっさたくま）
意味 1つの志を持つ仲間どうしが互いに励まし合い、競い合って向上すること。

□□□ **72** 絶体絶命（ぜったいぜつめい）
意味 追い詰められてどうしようもない状態のこと。

□□□ **73 ★★** 千載一遇（せんざいいちぐう）
意味 千年に一度しか出会えないような、めったにない好機のこと。

□□□ **74 ★** 千差万別（せんさばんべつ）
意味 種々さまざまに違っていること。

□□□ **75** 前代未聞（ぜんだいみもん）
意味 今までに聞いたこともないめずらしいこと。

□□□ **76** 千変万化（せんぺんばんか）
意味 状況がめまぐるしく変化すること。

「千」「万」は数がきわめて多いことを意味しています

□□□ **77 ★** 大器晩成（たいきばんせい）
意味 大人物は時間をかけて大成すること。

□□□ **78 ★** 大同小異（だいどうしょうい）
意味 少しだけ違うが、似たりよったりで大差ないこと。

□□□ **79 ★★** 単刀直入（たんとうちょくにゅう）
意味 前置き抜きで直接本題に入ること。

□□□ **80 ★★** 朝三暮四（ちょうさんぼし）
意味 目先の違いにとらわれて、同じ結果になることに気づかないこと。

□□□ **81 ★** 朝令暮改（ちょうれいぼかい）
意味 命令や方針が定まらずあてにならないこと。

□□□ **82 ★★** 直情径行（ちょくじょうけいこう）
意味 自分の感情のままを言動に移すこと。

□□□ **83** 猪突猛進（ちょとつもうしん）
意味 1つのことに向かって、向こう見ずにまっすぐに突進すること。

□□□ **84** 適材適所（てきざいてきしょ）
意味 その人の能力を見抜いて、最も適した仕事や地位につけること。

□□□ **85** 徹頭徹尾（てっとうてつび）
意味 はじめから終わりまで同じ方針を貫くこと。

□□□ **86 ★★** 天衣無縫（てんいむほう）
意味 詩文などが自然で技巧が目につかないこと。天真爛漫なこと。天女の衣服には縫い目のあとがないことから。

□□□ **87** 天変地異（てんぺんちい）
意味 自然の災害や異変のこと。

□□□ **88 ★** 当意即妙（とういそくみょう）
意味 すばやくその場にあった機転をきかせること。

☐☐☐ **89 ★** 同**工**異曲（どう**こう**いきょく）

意味 音楽や詩文などの手法は同じだが、作品の趣が異なること。見かけは違うように見えても中身は同じこと。

☐☐☐ **90 ★★** 東**奔**西走（とう**ほん**せいそう）

意味 東へ西へとあちこち忙しく走り回ること。

問題90は、1か所にとどまらず忙しくしている様子を表しています

な行・は行・ま行・や行・ら行

☐☐☐ **91** 内憂外患（ないゆうがいかん）

意味 内部に起こる心配事と外部からの災いのこと。

☐☐☐ **92** 二**束**三文（にそく**さんもん**）

意味 数が多くても値段が安いこと。また、儲けにならないほどの安値で売ること。

☐☐☐ **93 ★** 付和雷同（ふわ**らい**どう）

意味 しっかりした自分の考えがなく、軽々しく人の意見に賛成すること。

☐☐☐ **94** 粉骨砕身（ふんこつさいしん）

意味 骨を粉にして身を砕くことから、力の限りに努力すること。

☐☐☐ **95 ★** 傍若無人（ぼう**じゃくぶじん**）

意味 まるでそばに人がいないかのように、周りの人を気にせず勝手気ままにふるまうこと。

☐☐☐ **96** 無我**夢**中（むが**む**ちゅう）

意味 ある物事に熱中して我を忘れること。

☐☐☐ **97 ★★** 面従腹背（めん**じゅう**ふくはい）

意味 表面上は服従するように見せかけて、心の中では反抗していること。

□□□ **98 ★★ 羊頭狗肉（ようとうくにく）**

意味 羊の頭を看板にかかげて実際は犬の肉を売るという話から、見かけは立派だが実質が伴わないこと。

□□□ **99 ★ 竜頭蛇尾（りゅうとうだび）**

意味 頭は竜のように立派だが、尻尾が蛇のように細いこと。転じて、はじめは勢いが盛んだが、終わりは衰えてしまうこと。

□□□ **100 ★★ 臨機応変（りんきおう<u>へん</u>）**

意味 その場その時に応じて、一番ふさわしい対応をとること。

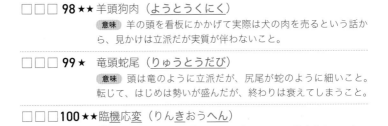

ひと口コラム

「四面楚歌」は「孤立無援」ともいいます。楚の項羽は垓下で漢軍に囲まれた時、四方から楚の歌が聴こえるのを聞いて、楚の民がすでに漢に降伏したかと思い絶望します。敵に囲まれて孤立し、助けがないことのたとえです。周囲が反対者ばかりな状況も意味しています。

合格者のまとめノート

6-01 四字熟語

✓ 漢数字が使われている四字熟語一覧

・一が使われている四字熟語

一意専心（いちいせんしん）…………… ひたすら1つのことに心を集中すること。

一衣帯水（いちいたいすい）…………… 一筋の帯のように細長い川や海のこと。

一言居士（いちげんこじ）……………… 自分の意見を言わなければ気のすまない人のこと。

一期一会（いちごいちえ）……………… 一生に一度だけのことと考えて物事に一生懸命になること。

一言半句（いちごんはんく）…………… ほんのわずかな言葉。ちょっとした言葉。

一日千秋（いちじつせんしゅう）……… 一日が千年に感じられるほど待ち遠しいこと。

一念発起（いちねんほっき）…………… 気持ちを改めてあることを成し遂げようと決意すること。

一罰百戒（いちばつひゃっかい）……… 1人を罰することで他の多くの人の戒めにすること。

一望千里（いちぼうせんり）…………… 見わたす限り広々としていること。

一網打尽（いちもうだじん）…………… 犯人などの一味を一度に全員とらえること。

一目瞭然（いちもくりょうぜん）……… 一目見ただけで明らかにわかること。

一陽来復（いちようらいふく）………… 悪いことが続いた後に物事が良いほうに向かうこと。

一蓮托生（いちれんたくしょう）……… 良くも悪くも仲間が行動や運命をともにすること。

一攫千金（いっかくせんきん）………… ちょっとした仕事で一度に大金を儲けること。

一喜一憂（いっきいちゆう）…………… 状況が変わるたびに喜んだり心配したりすること。

一騎当千（いっきとうせん）…………… 1人で千人の敵を相手にできるほど強いこと。

一挙両得（いっきょりょうとく）……… 1つのことをして同時に2つの利益を得ること。

一刻千金（いっこくせんきん）………… ひと時が千金と同じくらい値打ちがあること。

一視同仁（いっしどうじん）…………… 誰彼の差別なく、すべての人を平等に愛すること。

一瀉千里（いっしゃせんり）…………… 物事が非常に早く進むこと。

一宿一飯（いっしゅくいっぱん）……… 旅の途中で一晩の宿と食事をふるまってもらうこと。

一触即発（いっしょくそくはつ）……… 危機に直面していること。

一所懸命（いっしょけんめい）………… 本気で何かに打ち込むこと。

一心同体（いっしんどうたい）………… 2人以上の人が心を1つにして行動すること。

一心不乱（いっしんふらん）…………… 1つのことに心を集中させて他のことに気をとられないこと。

一石二鳥（いっせきにちょう）………… 1つのことをして同時に2つの利益を得ること。

一知半解（いっちはんかい）…………… 知識が十分自分のものになっていないこと。

一朝一夕（いっちょういっせき）……… 非常に短い時間のこと。

一刀両断（いっとうりょうだん）……… 一太刀で真っ二つに切ること。

危機<u>一髪</u>（きき<u>いっぱつ</u>）……………… 髪の毛1本ほどの違いで危機に陥りそうな危ない状態。

乾坤一擲（けんこんいってき）………… 運を天にまかせて大勝負をすること。

心機一転（しんきいってん）…………… あることをきっかけにして気持ちが良い方向に変わること。

千載一遇（せんざいいちぐう）………… 千年に一度しか出会えないようなめったにない好機のこと。

「千載」を「せんさい」と読むのは間違いなので要注意！

・二〜万までが使われている四字熟語

<u>二束三文</u>（に<u>そくさんもん</u>）……………… 数が多くても値段が安いこと。

再三再四（さいさんさいし）…………… 何度も何度も。

三寒四温（さんかんしおん）…………… 三日寒い日が続いた後で、四日暖かい日が続くこと。

<u>三位一体</u>（<u>さんみいったい</u>）…………… 3つの異なるものが1つになること。

朝三暮四（ちょうさんぼし）…………… 目先の違いにとらわれて実際は同じ結果に気づかないこと。

<u>四角</u>四面（<u>しかく</u>しめん）………………… まじめで融通がきかないこと。

四苦八苦（しくはっく）………………… 散々苦労すること。

四面<u>楚歌</u>（しめん<u>そか</u>）………………… 周りが敵や反対者ばかりで1人の味方もいないこと。

四分五裂（しぶんごれつ）……………… ばらばらにいくつにも分裂すること。

七転八起（しちてんはっき）…………… 何回失敗しても立ち直ってやり抜くこと。

七転八倒（しちてんばっとう）………… あまりの苦しさ痛さに耐えられず転げまわること。

八方美人（<u>はっぽうびじん</u>）…………… 誰に対しても愛想良く上手にふるまう人のこと。

十人十色（じゅうにんといろ）………… 人の性格や好みなどが1人ひとり異なること。

百家争鳴（ひゃっかそうめい）………… 多くの学者が自由に論争しあうこと。

百鬼夜行（ひゃっきやこう）…………… 多くの悪人が我が物顔にはびこること。

百発百中（ひゃっぱつひゃくちゅう）… 予測や計画がすべて当たって成功すること。

海千山千（<u>うみせんやません</u>）………… 長い年月にさまざまな人生経験を積んで悪賢いこと。

<u>千客万来</u>（<u>せんきゃくばんらい</u>）……… 商売が繁盛すること。

千差万別（せんさばんべつ）…………… 種々さまざまに違っている様子。

千変万化（せんぺんばんか）…………… 状況が非常にめまぐるしく変化すること。

✓ 同じような意味の四字熟語

・暗中模索（<u>あんちゅうもさく</u>）……
・五里霧中（ごりむちゅう）………… ┊ 考えが定まらない

・一心不乱（いっしんふらん）………
・無我夢中（むが<u>むちゅう</u>）………… ┊ 熱中している

・<u>我田引水</u>（<u>が</u>でんいんすい）………
・傍若無人（ぼうじゃくぶじん）…… ┊ 自分勝手

・東奔西走（とうほんせいそう）……
・南船北馬（<u>なんせんほくば</u>）……… ┊ あちこち駆け回る

・<u>大同小異</u>（<u>だいどう</u>しょうい）……
・同工異曲（どうこういきょく）…… ┊ だいたい同じ

「小異」を「小違」と間違えないように要注意！

6-02 | ことわざ・慣用句

ことわざや慣用句は、作文・小論文や面接でも有用です。意味を正しく知り、用例も理解しましょう。

あ行

優先度：★★＞★＞無印

□□□ **1** ★ 青菜に塩（あおなにしお）
意味 元気がなくてしょげている様子。

□□□ **2** ★★ 青は藍より出でて藍より青し（あおはあいよりいでてあいよりあおし）
意味 弟子が先生より優っていることのたとえ。

□□□ **3** ★ 羹に懲りて膾を吹く（あつものにこりてなますをふく）
意味 前の失敗に懲りて、今度は用心しすぎてばかばかしい行いをしてしまうこと。

□□□ **4** 虻蜂とらず（あぶはちとらず）
意味 2つを同時に手に入れようと狙って両方とも手に入らないこと。

□□□ **5** 案ずるより産むが易い（あんずるよりうむがやすい）
意味 事前にあれこれ心配するよりも、実際にやってみると案外簡単にできるものだということ。

□□□ **6** 生き馬の目を抜く（いきうまのめをぬく）
意味 他人を出し抜いてすばやく利益を得ること。

□□□ **7** 石に漱ぎ流れに枕す（いしにくちすすぎながれにまくらす）
意味 負け惜しみが強いこと。夏目漱石のペンネームの由来でもある。

□□□ **8** ★★ 石の上にも三年（いしのうえにもさんねん）
意味 物事はどんなにつらくても努力し続けていれば必ず報われるということ。

□□□ **9 ★** <u>石橋</u>を叩いて渡る（<u>いしばし</u>をたたいてわたる）
意味 とても用心深いこと。

□□□ **10 ★★** <u>医者</u>の不養生（<u>いしゃ</u>のふようじょう）
意味 頭では理解していても実行の伴わないこと。

□□□ **11** <u>一</u>を聞いて<u>十</u>を知る（<u>いち</u>をきいて<u>じゅう</u>をしる）
意味 理解が早く聡明なこと。

□□□ **12 ★** 一炊の夢（いっすいの<u>ゆめ</u>）
意味 人生の栄枯盛衰がはかないたとえ。

□□□ **13** 井の中の<u>蛙</u>大海を知らず（いのなかの<u>かわず</u>たいかいをしらず）
意味 自分の身の回りのことだけにいそしみ、もっと広い世界があることを知らないこと。

□□□ **14 ★** いわしの頭も<u>信心</u>から（いわしのあたまも<u>しんじん</u>から）
意味 いわしの頭のようにつまらないものでも、信じる人にとってはありがたいこと。

□□□ **15 ★★** 魚心あれば<u>水心</u>（<u>うおごころ</u>あれば<u>みずごころ</u>）
意味 何事も相手の出方次第で、相手が好意を示してくれればこちらも好意を示そうということ。

□□□ **16 ★★** 烏合の衆（うごうのしゅう）
意味 規律も統制もない群衆のこと。

□□□ **17 ★** <u>牛</u>にひかれて善光寺参り（<u>うし</u>にひかれてぜんこうじまいり）
意味 本心からではなくて他のものに誘われて良いことをするたとえ。

□□□ **18** <u>馬</u>の耳に念仏（<u>うま</u>のみみにねんぶつ）
意味 人の意見を聞こうとしない相手には何を言っても無駄なこと。

□□□ **19 ★★** <u>瓜</u>の蔓になすびはならぬ（<u>うり</u>のつるになすびはならぬ）
意味 平凡な親から非凡な子が生まれないこと。

□□□ **20** 雲泥の差（<u>うんでい</u>のさ）
意味 はなはだしい隔たりのこと。

□□□ **21** 絵に描いた餅（えにかいた**もち**）
意味 なんの役にも立たないこと。

□□□ **22★** 溺れる者は藁をも掴む（おぼれるものは**わら**をもつかむ）
意味 困っている人は、どんな頼りないものにも助けを求めようとすること。

□□□ **23** 思い立ったが吉日（おもいたったが**きちじつ**）
意味 何かをする気になったなら、すぐにはじめるのが良いこと。

> 問題21は「絵に描いたよう」と
> 間違えて使わないように！

か行

□□□ **24** 隗より始めよ（**かい**よりはじめよ）
意味 人にこうしろと言うよりも、言い出した自分がまず始めなさい、ということ。

□□□ **25★** 火中の栗を拾う（かちゅうの**くり**をひろう）
意味 他人のためにあえて危険をおかすこと。

□□□ **26★★** 河童の川流れ（**かっぱ**のかわながれ）
意味 どんな名人でも時には失敗すること。

□□□ **27★★** 瓜田に履を納れず（**かでん**にくつをいれず）
意味 疑惑をまねくような行いはしないほうが良いこと。

□□□ **28★** 禍福はあざなえる縄のごとし（**かふく**はあざなえるなわのごとし）
意味 幸福と不幸はより合わせた縄のように常に入れかわりながら交互にやってくること。

□□□ **29** 株を守りて兎を待つ（かぶをまもりて**うさぎ**をまつ）
意味 たまたまうまくいったことに味をしめて、もう一度同じようにして成功しようとすること。

□□□ 30 ★★ 枯れ木も<u>山</u>のにぎわい（かれきも<u>やま</u>のにぎわい）
意味 役に立たないようなものでも、数に加えておけば何もないよりはましなこと。※くれぐれも目上の相手には使わないように！

□□□ 31 眼光紙背に徹す（<u>がんこうしはいにてっす</u>）
意味 書物に書かれている表面の意味だけでなく、その背後に書かれている深い意味まで理解すること。

□□□ 32 肝胆相照らす（<u>かんたんあいてらす</u>）
意味 互いに心の底まで打ち明けて親しく交わること。

□□□ 33 ★ 気が<u>置けない</u>（きが<u>おけない</u>）
意味 気をつかわずに付き合えること。

□□□ 34 ★ <u>木</u>に縁りて魚を求む（<u>き</u>によりてうおをもとむ）
意味 方法を間違えると成功できないこと。

□□□ 35 <u>九牛の一毛</u>（<u>きゅうぎゅうのいちもう</u>）
意味 たくさんの中のごく少ない部分。また、とるに足らない小さなこと。

□□□ 36 窮鼠<u>猫</u>を噛む（きゅうそ<u>ねこ</u>をかむ）
意味 弱いものでも追い詰められると、強い相手に反撃することがある。

□□□ 37 ★★ 漁夫の利（<u>ぎょふのり</u>）
意味 利益をめぐる争いの最中に、無関係な人が利益を横取りすること。

□□□ 38 ★ 後悔<u>先</u>に立たず（こうかい<u>さき</u>にたたず）
意味 自分がしてしまったことを、後になって悔やんでも取り返しがつかない。事をする前の熟慮が大切であること。

□□□ 39 好事魔多し（こうじ<u>ま</u>おおし）
意味 物事がうまくいっている時には邪魔がはいりやすいこと。

□□□ 40 ★★ 弘法にも<u>筆</u>の誤り（こうぼうにも<u>ふで</u>のあやまり）
意味 書の名人である弘法大師でも時には失敗する。転じて、どんな名人でも時には誤りや失敗があること。

□□□ **41 ★★** 紺屋の白袴（こうやのしろばかま）
　意味 他人のことをするのに忙しすぎて自分のことをする暇が
ないこと。「こうや」は「こんや」の意味で染め物屋のこと。

□□□ **42 ★★** 虎穴に入らずんば虎子を得ず（こけつにいらずんばこじ
をえず）
　意味 多少の危険は覚悟して事にあたらなければ大きな成果を
得ることはできない。

□□□ **43** ごまめの歯ぎしり（ごまめのはぎしり）
　意味 力のないものが憤慨し、悔しがること。

□□□ **44 ★★** 転がる石に苔は生えない（ころがるいしにこけははえな
い）
　意味 腰を落ちつけて事に当たらないと成功しない。また、常
に積極的に行動している人は生き生きしている。保守的な「イ
ギリス流」と転職をよしとする「アメリカ流」の、相反する2
つの解釈がある。

□□□ **45 ★★** 転ばぬ先の杖（ころばぬさきのつえ）
　意味 失敗しないように前もって準備しておくことが大切な
こと。

さ行

□□□ **46 ★** 鹿を追う者は山を見ず（しかをおうものはやまをみず）
　意味 利益を追うことに熱中している人が、他のことを顧みな
くなること。

□□□ **47** 獅子身中の虫（しししんちゅうのむし）
　意味 内部にいて恩恵をうけながら災いをもたらす人のこと。

□□□ **48 ★** 下にも置かぬ（したにもおかぬ）
　意味 丁重に取り扱って下座に置かないことから、大切にされ
ること。

□□□ **49** 釈迦に説法（しゃかにせっぽう）
　意味 その道の専門家に、それを教えることの愚かさのたとえ。

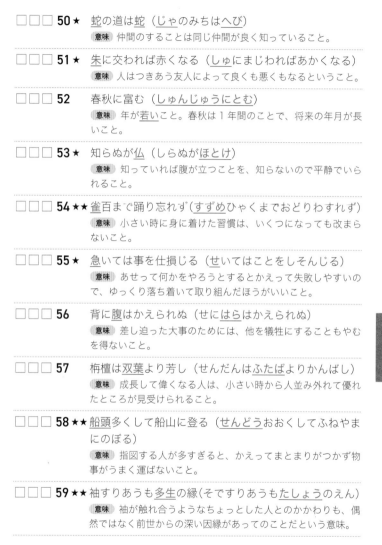

☐☐☐ **50 ★** 蛇の道は蛇（じゃのみちはへび）
意味 仲間のすることは同じ仲間が良く知っていること。

☐☐☐ **51 ★** 朱に交われば赤くなる（しゅにまじわればあかくなる）
意味 人はつきあう友人によって良くも悪くもなるということ。

☐☐☐ **52** 春秋に富む（しゅんじゅうにとむ）
意味 年が若いこと。春秋は1年間のことで、将来の年月が長いこと。

☐☐☐ **53 ★** 知らぬが仏（しらぬがほとけ）
意味 知っていれば腹が立つことを、知らないので平静でいられること。

☐☐☐ **54 ★★** 雀百まで踊り忘れず（すずめひゃくまでおどりわすれず）
意味 小さい時に身に着けた習慣は、いくつになっても改まらないこと。

☐☐☐ **55 ★** 急いては事を仕損じる（せいてはことをしそんじる）
意味 あせって何かをやろうとするとかえって失敗しやすいので、ゆっくり落ち着いて取り組んだほうがいいこと。

☐☐☐ **56** 背に腹はかえられぬ（せにはらはかえられぬ）
意味 差し迫った大事のためには、他を犠牲にすることもやむを得ないこと。

☐☐☐ **57** 栴檀は双葉より芳し（せんだんはふたばよりかんばし）
意味 成長して偉くなる人は、小さい時から人並み外れて優れたところが見受けられること。

☐☐☐ **58 ★★** 船頭多くして船山に登る（せんどうおおくしてふねやまにのぼる）
意味 指図する人が多すぎると、かえってまとまりがつかず物事がうまく運ばないこと。

☐☐☐ **59 ★★** 袖すりあうも多生の縁（そですりあうもたしょうのえん）
意味 袖が触れ合うようなちょっとした人とのかかわりも、偶然ではなく前世からの深い因縁があってのことだという意味。

□□□ **60** 大山鳴動して<u>鼠</u>一匹（たいざんめいどうして<u>ねずみ</u>いっぴき）
意味 前ぶれの騒ぎが大きいわりに実際の結果が小さいこと。

□□□ **61**★ 他山の<u>石</u>（たざんの<u>いし</u>）
意味 たとえどんなにつまらない人の言動でも、自分の人格を磨く助けになること。

□□□ **62**★★ 立つ<u>鳥</u>跡を濁さず（たつ<u>とり</u>あとをにごさず）
意味 自分のいた場所を立ち去る時は、きちんと後始末していきなさいということ。

□□□ **63** 蓼食う虫も好き好き（<u>たで</u>くうむしもすきずき）
意味 辛い蓼の葉を好んで食べる虫もいる。転じて、人の好みがさまざまなこと。

□□□ **64** 棚から牡丹餅（たなから<u>ぼたもち</u>）
意味 偶然思いがけない幸運が舞い込んでくること。

□□□ **65** 竹馬の友（<u>ちくば</u>のとも）
意味 竹馬に乗って一緒に遊んだ幼なじみのこと。

□□□ **66** 忠言<u>耳</u>に逆らう（ちゅうげん<u>みみ</u>にさからう）
意味 忠告の言葉はとかく気にさわるため、なかなか素直に聞きいれにくいこと。

□□□ **67**★ 仲裁は時の<u>氏神</u>（ちゅうさいはときの<u>うじがみ</u>）
意味 喧嘩や口論の際の仲裁は、神さまのようにありがたいものだから、その調停に従うほうが良いという意味。

□□□ **68**★★ 塵も積もれば<u>山</u>となる（ちりもつもれば<u>やま</u>となる）
意味 ごくわずかなものでも、少しずつ積み重ねていけば大きなことが達成できるということ。

□□□ **69**★ 角を矯めて<u>牛</u>を殺す（つのをためて<u>うし</u>をころす）
意味 少しの欠点を直そうとして、かえって全体をだめにしてしまうこと。

□□□ **70** ★★ 敵は<u>本能寺</u>にあり（てきは<u>ほんのうじ</u>にあり）

意味 本当の目的は別にあること。本能寺の変が由来。

□□□ **71** 鉄は熱いうちに打て（<u>てつ</u>はあついうちにうて）

意味 物事は時機をとらえてすぐやるべきだ。また、人は柔軟性のある若いうちに教育すべきだということ。

□□□ **72** 出る<u>杭</u>は打たれる（でる<u>くい</u>はうたれる）

意味 頭角を現す人は、とかく他人から憎まれること。

□□□ **73** ★ 点滴<u>石</u>を穿つ（てんてき<u>いし</u>をうがつ）

意味 何事も根気よくやれば成功する。

□□□ **74** 蟷螂の<u>斧</u>（とうろうの<u>おの</u>）

意味 自分の力量もかえりみず、力のないものが強敵に立ち向かうこと。

□□□ **75** ★★ 捕らぬ<u>狸</u>の皮算用（とらぬ<u>たぬき</u>のかわざんよう）

意味 不確かなものをあてにして、それを基にあれこれ計画を立てること。

□□□ **76** ★★ 虎の威を借る<u>狐</u>（とらのいをかる<u>きつね</u>）

意味 力のない小人物が、強い人の力にたよっていばること。

□□□ **77** ★ 泥棒をとらえて縄をなう（どろぼうをとらえて<u>なわ</u>をなう）

意味 困ったことが起こってからあわてて対策をたてること。

問題 75 の「算用」は金額や数量を計算することです

□□□ **78 ★** 泣いて<u>馬謖</u>を斬る（ないて<u>ばしょく</u>をきる）
　意味 全体の秩序を守るためには私情をはなれ、たとえ愛する
部下であってもルールを破れば涙をのんで厳しく処罰すること。

□□□ **79** 泣く子と<u>地頭</u>には勝てぬ（なくことと<u>じとう</u>にはかてぬ）
　意味 道理が通らない子どもや権力者と争っても無駄なこと。

□□□ **80 ★★** <u>情け</u>は人のためならず（<u>なさけ</u>はひとのためならず）
　意味 人に親切にしておくと、相手のためになるばかりでなく、
やがては良い報いとなって自分に戻ってくること。「人に親切に
して甘やかすのはその人のためにならない」は間違い。

□□□ **81 ★★** 二階から<u>目薬</u>（にかいから<u>めぐすり</u>）
　意味 効果がなくてもどかしいこと。

□□□ **82** <u>二兎</u>を追う者は<u>一兎</u>をも得ず（に<u>と</u>をおうものはいっ<u>と</u>
をもえず）
　意味 2つのことを一度にしようとするとどちらもうまくいかな
いこと。

□□□ **83 ★** <u>二の足を踏む</u>（<u>にのあし</u>をふむ）
　意味 二歩目をためらって足踏みすることから、ためらってど
うしようかと迷うこと。

□□□ **84 ★★** 人間万事塞翁が<u>馬</u>（にんげんばんじさいおうが<u>うま</u>）
　意味 世の中の幸不幸は移り変わるものであり、人生の吉凶や
禍福は予測できないこと。

□□□ **85 ★** 糠に釘（<u>ぬかにくぎ</u>）
　意味 糠にいくら釘を打っても何の手ごたえもないことから、
効き目や手ごたえがまったくないこと。

□□□ **86 ★★** 濡れ手で粟（<u>ぬれてであわ</u>）
　意味 何の苦労もせずに儲けること。

□□□ **87** 猫に小判（<u>ねこ</u>にこばん）
　意味 価値がわからない人にどんなに貴重なものを与えても何
の役にも立たないこと。

□□□ **88** 寝耳に水（**ねみみにみず**）
意味 思いがけない知らせや突然の出来事に驚くこと。

□□□ **89** 能ある鷹は爪を隠す（のうあるたかは**つめ**をかくす）
意味 実力がある人はむやみにそれをひけらかさないが、いざとなったら真価を発揮すること。

□□□ **90★** 暖簾に腕押し（**のれん**にうでおし）
意味 少しも手ごたえがないこと。「腕押し」は腕相撲のこと。

> 問題 90 は力を入れて押しても押しただけの反応がないことが由来！

は行・ま行・ら行・わ行

□□□ **91★★** 花より団子（はなより**だんご**）
意味 美しいものよりも実際に役に立つもののほうが良いこと。

□□□ **92★** 人を呪わば穴二つ（ひとをのろわば**あなふたつ**）
意味 他人に害をなそうとすれば、自分もまた害を受けることになる。

□□□ **93★★** 覆水盆に返らず（**ふくすいぼんにかえらず**）
意味 離婚した夫婦の仲が元通りになることはないこと。また、一度してしまったことは取り返しがつかないこと。

□□□ **94** 刎頸の交わり（**ふんけいのまじわり**）
意味 その友人のためなら、たとえ首をはねられても後悔しないほどの親しい交わりのこと。

□□□ **95★** 待てば海路の日和あり（**まてばかいろのひよりあり**）
意味 物事がうまくいかない時は、焦らずに良い日が来るのを待っていればそのうち幸運がやってくること。

□□□ **96** 三つ子の魂百まで（みつごのたましい**ひゃく**まで）
意味 幼い時に形成された性格は、年をとってからも変わらないこと。

□□□ **97 ★** 六日の菖蒲十日の菊（むいかのあやめとおかのきく）
　　意味 時機に遅れて役に立たないこと。

□□□ **98 ★★** 李下に冠を正さず（りかにかんむりをたださず）
　　意味 人の疑いをまねくような行動はしないほうが良いということ。

□□□ **99** 良薬は口に苦し（りょうやくはくちににがし）
　　意味 他人が自分のためにしてくれる忠告の言葉は聞きづらいこと。

□□□**100** 渡る世間に鬼はない（わたるせけんにおにはない）
　　意味 世の中は無慈悲な人ばかりではなく、困った時には助けてくれる思いやりのある人もいるということ。

✅ひと口コラム

「一炊の夢」は「邯鄲（かんたん）の夢」ともいいます。若者が邯鄲の宿で枕を借りてひと眠りしたところ、紆余曲折を経つつ最後は栄華を極める体験をしました。しかし、それはキビもまだ炊けないほど短い間の夢にすぎませんでした。人生の栄枯盛衰のはかなさをたとえた言葉です。

▌MEMO

合格者のまとめノート

6-02 ことわざ・慣用句

✓ 身体部位に関する漢字が使われていることわざ・慣用句

● 頭・髪・顔

ことわざ・慣用句	読み	意味
頭が下がる	あたまがさがる	敬服すること。
頭を抱える	あたまをかかえる	心配事があって思案に暮れること。
後ろ髪を引かれる	うしろがみをひかれる	未練が残ってなかなか思い切れないこと。
顔が利く	かおがきく	力があり相手に無理を言えること。
顔が広い	かおがひろい	知り合いが多いこと。
顔に泥を塗る	かおにどろをぬる	恥をかかせること。
顔を立てる	かおをたてる	体面が傷つかないようにすること。

● 額・眉

ことわざ・慣用句	読み	意味
額に汗する	ひたいにあせする	一生懸命仕事すること。
愁眉を開く	しゅうびをひらく	心配事がなくなってほっとすること。
白眉	はくび	多くの中で最も優れた人のこと。
眉をひそめる	まゆをひそめる	心配事があったり不快を感じて顔をしかめる。

> 残りあと少し！　1つずつしっかり
> 確認していこう！

●目・鼻・耳

ことわざ・慣用句	読み	意味
目が利く	めがきく	鑑識眼があること。
目が肥える	めがこえる	良いものを見慣れて、良し悪しを見分けられるようになること。
目が高い	めがたかい	良いものを見分ける能力があること。
目から鱗が落ちる	めからうろこがおちる	何かがきっかけとなって、突然物事がよく見えるようになり、理解できるようになること。
目から鼻へ抜ける	めからはなへぬける	頭の回転が速くて、抜け目ないこと。
目の上の瘤	めのうえのこぶ	なにかと目障りで、邪魔になる者のこと。
鼻であしらう	はなであしらう	冷淡にあつかうこと。
鼻にかける	はなにかける	自慢すること。
鼻を明かす	はなをあかす	出し抜いて相手を驚かせること。
鼻を折る	はなをおる	得意がっている者をへこませること。
耳が痛い	みみがいたい	他人の言葉が自分の弱点をついて聞くのがつらいこと。
耳に胼胝ができる	みみにたこができる	同じことを何度も聞かされていやになること。
耳を貸す	みみをかす	人の言うことを聞くこと。相手の相談に乗ること。
耳を揃える	みみをそろえる	不足がないように金額を用意すること。

身体部位を使ったことわざ・慣用句は混同しないように要注意！

●口・舌・喉

ことわざ・慣用句	読み	意味
口がかかる	くちがかかる	仕事の注文を受けること。
口がすべる	くちがすべる	うっかり言ってしまうこと。
口車に乗る	くちぐるまにのる	おだてに乗ること。
口八丁手八丁	くちはっちょうてはっちょう	しゃべることもやることも達者なこと。
口火を切る	くちびをきる	きっかけを作ること。
口を拭う	くちをぬぐう	知っていながら知らないふりをすること。
口を割る	くちをわる	白状すること。
舌を巻く	したをまく	あまりにも優れていて、ひどく驚くこと。
喉もと過ぎれば熱さを忘れる	のどもとすぎればあつさをわすれる	苦しいこともそれが過ぎ去れば忘れてしまうこと。

●歯・爪・手

ことわざ・慣用句	読み	意味
歯が浮く	はがうく	軽薄な言動に接して不快になること。
歯が立たない	はがたたない	勝ち目がないこと。
歯に衣着せぬ	はにきぬきせぬ	遠慮しないで思ったことを言うこと。
爪に火をともす	つめにひをともす	ひどくケチなこと。
爪の垢を煎じて飲む	つめのあかをせんじてのむ	優れた人にあやかろうとする。
手に汗をにぎる	てにあせをにぎる	見ていて緊張したり興奮したりすること。
手をこまねく	てをこまねく	何もしないで傍観すること。
飼い犬に手を噛まれる	かいいぬにてをかまれる	かわいがっていた者に裏切られること。
濡れ手で粟	ぬれてであわ	何の苦労もせずに儲けること。

●腕・腹・尻

ことわざ・慣用句	読み	意味
腕が立つ	うでがたつ	腕前が優れていること。
腕が鳴る	うでがなる	技能を発揮したくてじっとしていられないこと。
腹黒い	はらぐろい	心に悪だくみを持っていること。
腹を括る	はらをくくる	覚悟を決めること。
腹を割る	はらをわる	本心を打ち明けること。
尻に火がつく	しりにひがつく	追い詰められた状態になること。

●骨・足

ことわざ・慣用句	読み	意味
骨が折れる	ほねがおれる	困難で苦労すること。
足が出る	あしがでる	赤字になること。
足が棒になる	あしがぼうになる	疲れて足の筋肉がこわばること。
足を洗う	あしをあらう	悪い仲間から離れること。
足を引っ張る	あしをひっぱる	人の成功や前進を邪魔すること。
足を向けて寝られない	あしをむけてねられない	人から受けた恩を忘れないこと。
後足で砂をかける	あとあしですなをかける	去り際にさらに迷惑をかけること。

最後の「後足で〜」は、恩を受けた場合でなく、仕返しや腹いせをする場合に使うのは間違い！

本書で知識と自信を手に試験会場へ

　最後まで問題を解き終え、おつかれさまでした。公務員予備校「シグマ・ライセンス・スクール浜松」（以下、シグマ）の鈴木俊士です。

　わたしが地元・静岡県浜松市にシグマを構えて、早いもので25年が経ちました。25年といえば四半世紀。当時生まれた赤ちゃんが25歳。自分でもびっくりの（感覚的には）長くて短い年月ですが、縁あってみなさんがいま手に取っているこの一問一答問題集は、いわばその**25年の集大成**ともいえるものです。

　わたし同様、シグマの卒業生にとっても本書（元である『暗記サクセスノート』）は、思い出深い存在のようです。お守り代わりに試験場に持っていくのはもちろんのこと、仕事で壁にぶつかった時には本書を引っ張り出してパラパラ見ているという話をよく聞きます。

　社会は、正解がある問題に正しい答えを書き込めば、それにみあった成績が出る、そんなところではありません。ですから、仕事などで正解のない問題にぶつかった時に卒業生たちは、本書を自分の心の鏡として、昔の夢を思い出し、「よしっ！　また頑張ろう！」と気持ちを新たにしているようです。みなさんにとっても本書がそんな存在になるとうれしく思います。

　本書を解き終え、知識を身につけたと同時に、自信もついたことと思います。**公務員教養試験（1次試験）は7〜8割取れれば合格でき、かつ2次試験に優位に進むことができます**。ですから、時間に余裕があって本書を3回解いたとしたら、**教養試験の「一般知識」対策は万全**です。

　公務員として羽ばたいたシグマの卒業生のように、本書を、夢を叶えるために一生懸命に勉強した証として、自信を持って試験会場に向かって欲しいと思います。

ところで「わたしが公務員になるなんて無理なのでは？」と思っている人がいたら、それは大いなる勘違いです。**シグマでは開講以来、のべ合格者数は2,300名を超えましたし、1次試験の実質合格率は99.7％**です。つまり卒業生≒1次試験合格者のほぼ全員が本書を使って夢を叶えてきたことになります。

　大事なのは**「自分を信じる」**ことです。自分を信じることができて、はじめて他人を信じることができます。

　そして、あなたが本当になりたいもの、それが**「自分らしい自分」であり、本当の自分**です。たったいちどの人生ですから、やりたいことを断念したり、やりたくもないことを我慢してやり続けることで人生を浪費したりするのはやめましょう。

　わたし自身、26年前に大企業を辞めて自分で小さな私塾を開きました。やってきたことはなんだかんだいいながらも全部やりたかったことだし、やらなかったことはやっぱりやりたくなかったことなのだと思います。

　必要なのは「熱い志」とほんの少しの「勇気」です。本書がみなさんにとって、自分自身の人生を歩む最初の1歩になるとしたら、とてもうれしく思います。あなたの人生が個性豊かで、創造性に富んだ素晴らしいものになることを願っています。

　最後になりますが、本書がこうしてでき上がるまで、KADOKAWAの編集部の方々には本当にお世話になりました。心からお礼を申し上げます。

2021年3月

JR浜松駅前にある小さな公務員予備校
「シグマ・ライセンス・スクール浜松」校長
鈴木俊士

鈴木 俊士（すずき しゅんじ）
大学を卒業後、西武百貨店に就職。その後は地元浜松にて公務員受験
専門の予備校「シグマ・ライセンス・スクール浜松」を開校。定員20
人の少人数制の予備校ではあるものの、25年間で延べ2,300人以上を合
格に導く。また、1次試験の合格率は99.7%、2次試験にいたっても90
%以上と驚異の合格率を誇っている。築き上げたノウハウと実績を基
にオーディオブックも手掛けており、日本全国の公務員を目指す受験
生のために精力的な活動を続けている。主な著書に『合格率100%のカ
リスマ講師が教える公務員試験の勉強法』『9割受かる鈴木俊士の公務
員試験「面接」の完全攻略法』『9割受かる！公務員試験「作文・小論
文」の勉強法』（以上、KADOKAWA）、また、監修を務めた『2,300人
以上を合格に導いた面接指導のカリスマが教える！ 公務員採用試験
面接試験攻略法』『面接指導のカリスマが教える！ 消防官採用試験 面
接試験攻略法』『面接指導のカリスマが教える！ 自衛官採用試験 面接
試験攻略法』（以上、つちや書店）などがある。

合格率99％！
鈴木俊士の公務員教養試験 一般知識 一問一答

2021年4月28日 初版発行
2024年4月20日 11版発行

著者／鈴木 俊士

発行者／山下 直久

発行／株式会社KADOKAWA
〒102-8177 東京都千代田区富士見2-13-3
電話 0570-002-301（ナビダイヤル）

印刷所／株式会社加藤文明社印刷所